I verbi italiani

per tutti

Un nuovo metodo multimediale per imparare i verbi italiani

EDILINGUA

Via Paolo Emilio, 28 00192 Roma

Via Moroianni, 65 12133 Atene
Tel. +30 210 57.33.900
Fax +30 210 57.58.903
www.edilingua.it
info@edilingua.it

I edizione: ottobre 2008
ISBN: 978-960-7706-76-8

Curatrice: L. Piccolo
Redazione: L. Piccolo, A. Bidetti, M. Dominici
Impaginazione e progetto grafico: E. Setta (Edilingua)
Illustrazioni: Andy Garnica

Apprezzeremmo, da parte dei colleghi, eventuali suggerimenti, segnalazioni e commenti sull'opera (da inviare a redazione@edilingua.it)

Indice

Premessa

Caro insegnante, caro studente,

I verbi italiani per tutti è uno strumento utile e di facile consultazione pensato per accompagnare lo studente durante tutto il suo percorso di apprendimento dell'italiano.

Per le sue caratteristiche e la sua versatilità si adatta a studenti di tutte le età e nazionalità e può essere usato anche in autoapprendimento.

Approccio "multimediale"

Ciò che rende unico *I verbi italiani per tutti* è un approccio del tutto diverso da quelli tradizionali, un approccio "multimediale".

Tutti sappiamo che quando si apprende una lingua straniera la cosa più difficile è ricordare un determinato vocabolo. Ciò non significa necessariamente che non si conosca, ma che semplicemente in quel momento non si riesce a richiamarlo alla memoria. *I verbi italiani per tutti* permette di memorizzare i verbi in modo veloce, piacevole ed efficace.

È stato dimostrato infatti che uno dei metodi più efficaci per ricordare qualcosa è il ricorso all'associazione di idee. Il modo in cui è stato "nascosto" l'infinito del verbo all'interno dell'immagine serve proprio ad attivare questo processo che permetterà allo studente di fissare il verbo nella memoria a lungo termine.

La maggior parte dei libri di grammatica, e soprattutto sui verbi, relega il compito vitale di imparare le coniugazioni a un mondo in bianco e nero di tabelle disarmanti e frustranti che vanificano gli sforzi dello studente. *I verbi italiani per tutti*, invece, fa leva sulla stimolazione dei sensi presentando verbi da "guardare", da "leggere" e da "ascoltare".

Tabelle e immagini

Di ciascun verbo viene presentata:

- un'**illustrazione** accattivante. La vera innovazione di questo libro sono proprio le illustrazioni, che permettono di contestualizzare il verbo in una determinata situazione e di assimilarlo quindi più facilmente;
- **1 tabella colorata**, con i 6 tempi più usati, che permette allo studente di stabilire delle connessioni immediate tra il soggetto e il verbo e di distinguere facilmente e immediatamente ("ad occhio") la forma desiderata;
- **1 tabella a un colore** con il resto degli altri modi e tempi verbali (tutti i tempi dell'indicativo, del congiuntivo, del condizionale e l'imperativo). Qui abbiamo collocato, anche per soddisfare l'esigenza di completezza, le forme con le quali lo studente si confronterà a uno stadio più avanzato del suo percorso di studio;

- la **pronuncia** (sul sito www.learnverbs.com) della coniugazione dei tempi e modi verbali della tabella colorata;
- la **forma passiva**, qualora presente.

Uno strumento completo

Rendono ancora più completo *I verbi italiani per tutti*:

- la tavola sinottica delle tre coniugazioni;
- la tabella con la coniugazione di un verbo alla forma passiva;
- una ricca appendice con: a) ulteriori verbi di maggiore frequenza dei quali vengono presentate le sole forme irregolari; b) una sezione sulle reggenze verbali in cui viene fornito un elenco dei verbi più comuni accompagnati dalle preposizioni che richiedono. *I verbi italiani per tutti* mettono quindi a disposizione dello studente più di 150 verbi;
- un glossario multilingue con la traduzione dei verbi presentati in inglese, spagnolo, portoghese, francese e cinese.

Efficacia del metodo

I verbi italiani per tutti è il modo più semplice per memorizzare i verbi italiani.

È stato dimostrato che il metodo che è alla base del libro è sette volte più efficace della lettura e della ripetizione passiva di una lista di verbi.

Una volta che lo studente avrà familiarizzato con ogni tempo colorato, potrà congratularsi con se stesso perché ciò vorrà dire che ha imparato più di 3600 forme verbali, un traguardo che molti studenti raggiungono solo dopo molti anni di studio!

Di tutti gli infinitivi viene indicata, attraverso un segno grafico, la sillaba accentata (ad esempio: avẹre, ẹssere*). Nelle coniugazioni dei verbi, invece, viene indicata solo quando l'accento non cade sulla penultima sillaba o in casi dubbi (ad esempio:* nuọtano, finịi*).*

Introduction

Dear student,

I verbi italiani per tutti is a useful and easy reference tool designed to accompany the student during his entire Italian learning career.

It is ideal for students of all ages and nationalities because of its characteristics and can even be used for self-study.

"Multimedia" approach

What makes *I verbi italiani per tutti* unique is its totally different approach compared to traditional ones, in other words, a "multimedia" approach.

We all know that the hardest thing when learning a foreign language is remembering vocabulary. That does not mean that we have forgotten everything, but simply it does not come to mind in that moment. *I verbi italiani per tutti* enhances verb memorization in a fast, pleasant and effective way.

It has been demonstrated, in fact, that one of the most effective ways to remember something is to make idea associations. The way in which the infinitive form of the verb has been "hidden" inside the image activates this process, making it possible for the student to cement the verb into long term memory.

The majority of grammar books, specifically those on verbs, downgrade the vital task of learning conjugations to a bleak world of black and white, of boring and exasperating tables that squander the student's efforts. *I verbi italiani per tutti*, by contrast, exploits sensory stimulation by presenting verbs to be "looked at", "read" and "heard".

Tables and immages

The following is presented for each verb:

- a captivating **illustration**. The true innovation of this book are its illustrations, contextualizing the verb in a specific situation thereby making assimilation easier;
- **1 multi-colour table**, with the 6 most used tenses, leading the student to form immediate connections between the subject and the verb and to easily and immediately distinguish the desired form at a glance;
- **1 mono-colour table** with the rest of verbal uses and tenses (all tenses of the indicative, the subjunctive, the conditional and the imperative). For the sake of being complete, other verbal forms have been included which the student will encounter later in his scholastic career;

- **pronunciation** of verbal tenses and uses in the colour table (via the website www.learn-verbs.com);
- **the passive form**, whenever applicable.

A complete tool

Making *I verbi italiani per tutti* even more complete:

- a complete table of the three conjugations;
- a table with the verb conjugation in the passive form;
- a rich appendix with: a) additional commonly used verbs that are only presented in their irregular form; b) a section on verb constructions in which there is a list of the most common verbs alongside any required prepositions. *I verbi italiani per tutti* features more than 150 verbs;
- a multi-language glossary with the translation of presented verbs in English, Spanish, Portuguese, French and Chinese.

Method efficacy

I verbi italiani per tutti is the easiest way to memorize Italian verbs.

It has been shown that the base method of this book is seven times more effective than passively reading or repeating a list of verbs.

Once the student is familiar with all colour tenses, he should congratulate himself because that means he has learnt more than 3600 verbal forms, a milestone many students reach only after many years of study!

The stressed syllable of all infinitive verbs will be marked with a graphic symbol (for example: avẹre, ẹssere*). In verb conjugations, however, it will only be marked when the stress is not placed on the second last syllable or in doubtful cases (for example:* nuọtano, finịi*).*

			-are	-ere	-ire	
			parl **are**	sbatt **ere**	part **ire**	sped **ire**
Indicativo	**Presente**	io	parl **o**	sbatt **o**	part **o**	sped ***isco***
		tu	parl **i**	sbatt **i**	part **i**	sped ***isci***
		lui, lei, Lei	parl **a**	sbatt **e**	part **e**	sped ***isce***
		noi	parl **iamo**	sbatt **iamo**	part **iamo**	sped **iamo**
		voi	parl **ate**	sbatt **ete**	part **ite**	sped **ite**
		loro	pạrl **ano**	sbạtt **ono**	pạrt **ono**	sped ***ịscono***
	Passato Prossimo	io	**ho** parl **ato**	**ho** sbatt **uto**	**sono** part **ito/a**	**ho** sped **ito**
		tu	**hai** parl **ato**	**hai** sbatt **uto**	**sei** part **ito/a**	**hai** sped **ito**
		lui, lei, Lei	**ha** parl **ato**	**ha** sbatt **uto**	**è** part **ito/a**	**ha** sped **ito**
		noi	**abbiamo** parl **ato**	**abbiamo** sbatt **uto**	**siamo** part **iti/e**	**abbiamo** sped **ito**
		voi	**avete** parl **ato**	**avete** sbatt **uto**	**siete** part **iti/e**	**avete** sped **ito**
		loro	**hanno** parl **ato**	**hanno** sbatt **uto**	**sono** part **iti/e**	**hanno** sped **ito**
	Imperfetto	io	parl **avo**	sbatt **evo**	part **ivo**	sped **ivo**
		tu	parl **avi**	sbatt **evi**	part **ivi**	sped **ivi**
		lui, lei, Lei	parl **ava**	sbatt **eva**	part **iva**	sped **iva**
		noi	parl **avamo**	sbatt **evamo**	part **ivamo**	sped **ivamo**
		voi	parl **avate**	sbatt **evate**	part **ivate**	sped **ivate**
		loro	parl **ạvano**	sbatt **ẹvano**	part **ịvano**	sped **ịvano**
	Passato Remoto	io	parl **ại**	sbatt **ẹi (etti)**	part **ịi**	sped **ịi**
		tu	parl **asti**	sbatt **esti**	part **isti**	sped **isti**
		lui, lei, Lei	parl **ò**	sbatt **é (ette)**	part **ì**	sped **ì**
		noi	parl **ammo**	sbatt **emmo**	part **immo**	sped **immo**
		voi	parl **aste**	sbatt **este**	part **iste**	sped **iste**
		loro	parl **ạrono**	sbatt **ẹrono (ẹttero)**	part **ịrono**	sped **ịrono**
	Futuro Semplice	io	parl **erò**	sbatt **erò**	part **irò**	sped **irò**
		tu	parl **erại**	sbatt **erại**	part **irại**	sped **irại**
		lui, lei, Lei	parl **erà**	sbatt **erà**	part **irà**	sped **irà**
		noi	parl **eremo**	sbatt **eremo**	part **iremo**	sped **iremo**
		voi	parl **erete**	sbatt **erete**	part **irete**	sped **irete**
		loro	parl **eranno**	sbatt **eranno**	part **iranno**	sped **iranno**
Condizionale	**Semplice**	io	parl **erẹi**	sbatt **erẹi**	part **irẹi**	sped **irẹi**
		tu	parl **eresti**	sbatt **eresti**	part **iresti**	sped **iresti**
		lui, lei, Lei	parl **erebbe**	sbatt **erebbe**	part **irebbe**	sped **irebbe**
		noi	parl **eremmo**	sbatt **eremmo**	part **iremmo**	sped **iremmo**
		voi	parl **ereste**	sbatt **ereste**	part **ireste**	sped **ireste**
		loro	parl **erẹbbero**	sbatt **erẹbbero**	part **irẹbbero**	sped **irẹbbero**

		-are	-ere	-ire	
		parl **are**	sbatt **ere**	part **ire**	sped **ire**
Congiuntivo Presente	io	parl **i**	sbatt **a**	part **a**	sped ***isca***
	tu	parl **i**	sbatt **a**	part **a**	sped ***isca***
	lui, lei, Lei	parl **i**	sbatt **a**	part **a**	sped ***isca***
	noi	parl **iamo**	sbatt **iamo**	part **iamo**	sped **iamo**
	voi	parl **iate**	sbatt **iate**	part **iate**	sped **iate**
	loro	pạrl **ino**	sbạtt **ano**	pạrt **ano**	sped ***ịscano***
Congiuntivo Imperfetto	io	parl **assi**	sbatt **essi**	part **issi**	sped **issi**
	tu	parl **assi**	sbatt **essi**	part **issi**	sped **issi**
	lui, lei, Lei	parl **asse**	sbatt **esse**	part **isse**	sped **isse**
	noi	parl **ạssimo**	sbatt **ẹssimo**	part **ịssimo**	sped **ịssimo**
	voi	parl **aste**	sbatt **este**	part **iste**	sped **iste**
	loro	parl **ạssero**	sbatt **ẹssero**	part **ịssero**	sped **ịssero**
Imperativo	io	- - -	- - -	- - -	- - -
	tu	parl **a**	sbatt **i**	part **i**	sped ***isci***
	lui, lei, Lei	parl **i**	sbatt **a**	part **a**	sped ***isca***
	noi	parl **iamo**	sbatt **iamo**	part **iamo**	sped **iamo**
	voi	parl **ate**	sbatt **ete**	part **ite**	sped **ite**
	loro	pạrl **ino**	sbạtt **ano**	pạrt **ano**	sped ***ịscano***
Tempi composti		***Indicativo*** **Trapassato Prossimo** **avevo** parl**ato** ... ***Indicativo*** **Trapassato Remoto** **ebbi** parl**ato** ... ***Indicativo*** **Futuro Anteriore** **avrò** parl**ato** ... ***Condizionale* Passato** **avrẹi** parl**ato** ... ***Congiuntivo* Passato** **ạbbia** parl**ato** ... ***Congiuntivo*** **Trapassato** **avessi** parl**ato** ...	***Indicativo*** **Trapassato Prossimo** **avevo** sbatt**uto** ... ***Indicativo*** **Trapassato Remoto** **ebbi** sbatt**uto** ... ***Indicativo*** **Futuro Anteriore** **avrò** sbatt**uto** ... ***Condizionale* Passato** **avrẹi** sbatt**uto** ... ***Congiuntivo* Passato** **ạbbia** sbatt**uto** ... ***Congiuntivo*** **Trapassato** **avessi** sbatt**uto** ...	***Indicativo*** **Trapassato Prossimo** **ero** part**ito/a** ... ***Indicativo*** **Trapassato Remoto** **fui** part**ito/a** ... ***Indicativo*** **Futuro Anteriore** **sarò** part**ito/a** ... ***Condizionale* Passato** **sarẹi** part**ito/a** ... ***Congiuntivo* Passato** **sia** part**ito/a** ... ***Congiuntivo*** **Trapassato** **fossi** part**ito/a** ...	***Indicativo*** **Trapassato Prossimo** **avevo** sped**ito** ... ***Indicativo*** **Trapassato Remoto** **ebbi** sped**ito** ... ***Indicativo*** **Futuro Anteriore** **avrò** sped**ito** ... ***Condizionale* Passato** **avrẹi** sped**ito** ... ***Congiuntivo* Passato** **ạbbia** sped**ito** ... ***Congiuntivo*** **Trapassato** **avessi** sped**ito** ...
Modi indefiniti		***Infinito* Presente** **parlare** ***Infinito* Passato** **avẹre** parl**ato** ***Participio* Presente** parl**ante** ***Participio* Passato** parl**ato** ***Gerundio* Presente** parl**ando** ***Gerundio* Passato** **avendo** parl**ato**	***Infinito* Presente** **sbạttere** ***Infinito* Passato** **avẹre** sbatt**uto** ***Participio* Presente** sbatt**ente** ***Participio* Passato** sbatt**uto** ***Gerundio* Presente** sbatt**endo** ***Gerundio* Passato** **avendo** sbatt**uto**	***Infinito* Presente** **partire** ***Infinito* Passato** **ẹssere** part**ito/a/i/e** ***Participio* Presente** part**ente** ***Participio* Passato** part**ito** ***Gerundio* Presente** part**endo** ***Gerundio* Passato** **essendo** part**ito/a/i/e**	***Infinito* Presente** **spedire** ***Infinito* Passato** **avẹre** sped**ito** ***Participio* Presente** sped**ente** ***Participio* Passato** sped**ito** ***Gerundio* Presente** sped**endo** ***Gerundio* Passato** **avendo** sped**ito**

ẹssere diretto (*Forma attiva*: dirịgere)

Modo	*Indicativo*					*Condizionale*
Tempo	**Presente**	**Passato Prossimo**	**Imperfetto**	**Passato Remoto**	**Futuro Semplice**	**Semplice**
io	sono (vengo) diretto/a	sono stato/a diretto/a	ero (venivo) diretto/a	fui (venni) diretto/a	sarò (verrò) diretto/a	sarẹi (verrẹi) diretto/a
tu	sei (vieni) diretto/a	sei stato/a diretto/a	eri (venivi) diretto/a	fosti (venisti) diretto/a	sarại (verrại) diretto/a	saresti (verresti) diretto/a
lui, lei, Lei	è (viene) diretto/a	è stato/a diretto/a	era (veniva) diretto/a	fu (venne) diretto/a	sarà (verrà) diretto/a	sarebbe (verrebbe) diretto/a
noi	siamo (veniamo) diretti/e	siamo stati/e diretti/e	eravamo (venivamo) diretti/e	fummo (venimmo) diretti/e	saremo (verremo) diretti/e	saremmo (verremmo) diretti/e
voi	siete (venite) diretti/e	siete stati/e diretti/e	eravate (venivate) diretti/e	foste (veniste) diretti/e	sarete (verrete) diretti/e	sareste (verreste) diretti/e
loro	sono (vẹngono) diretti/e	sono stati/e diretti/e	ẹrano (venịvano) diretti/e	fụrono (vẹnnero) diretti/e	saranno (verranno) diretti/e	sarẹbbero (verrẹbbero) diretti/e

Modo	*Congiuntivo*		*Imperativo*
Tempo	**Presente**	**Imperfetto**	
io	sia (venga) diretto/a	fossi (venissi) diretto/a	- - -
tu	sia (venga) diretto/a	fossi (venissi) diretto/a	sii diretto/a
lui, lei, Lei	sia (venga) diretto/a	fosse (venisse) diretto/a	sia diretto/a
noi	siamo (veniamo) diretti/e	fọssimo (venịssimo) diretti/e	siamo diretti/e
voi	siate (veniate) diretti/e	foste (veniste) diretti/e	siate diretti/e
loro	sịano (vẹngano) diretti/e	fọssero (venịssero) diretti/e	sịano diretti/e

Tempi composti

Modo Indicativo – **Trapassato Prossimo**: ero stato/a diretto/a ...; **Trapassato Remoto**: - - -; **Futuro Anteriore**: sarò stato/a diretto/a ...

Modo Condizionale – **Passato**: sarẹi stato/a diretto/a ...

Modo Congiuntivo – **Passato**: sia stato/a diretto/a ...; **Trapassato**: fossi stato/a diretto/a ...

Modo Infinito – **Presente**: ẹssere (venire) diretto/a; **Passato**: ẹssere stato/a diretto/a / ***Modo Participio*** – **Presente**: ---; **Passato**: diretto/a / ***Modo Gerundio*** – **Presente**: essendo (venendo) diretto/a; **Passato**: essendo stato/a diretto/a

accęndere

(*appęndere, difęndere, dipęndere, offęndere*)

Modo	*Indicativo*					*Condizionale*
Tempo	**Presente**	**Passato Prossimo**	**Imperfetto**	**Passato Remoto**	**Futuro Semplice**	**Semplice**
io	accendo	ho acceso	accendevo	accesi	accenderò	accenderẹi
tu	accendi	hai acceso	accendevi	accendesti	accenderại	accenderesti
lui, lei, Lei	accende	ha acceso	accendeva	accese	accenderà	accenderebbe
noi	accendiamo	abbiamo acceso	accendevamo	accendemmo	accenderemo	accenderemmo
voi	accendete	avete acceso	accendevate	accendeste	accenderete	accendereste
loro	accęndono	hanno acceso	accendęvano	accęsero	accenderanno	accenderębbero

Modo	*Congiuntivo*		*Imperativo*
Tempo	**Presente**	**Imperfetto**	
io	accenda	accendessi	- - -
tu	accenda	accendessi	accendi
lui, lei, Lei	accenda	accendesse	accenda
noi	accendiamo	accendęssimo	accendiamo
voi	accendiate	accendeste	accendete
loro	accęndano	accendęssero	accęndano

Tempi composti

Modo Indicativo – **Trapassato Prossimo**: avevo acceso ...; **Trapassato Remoto**: ebbi acceso ...; **Futuro Anteriore:** avrò acceso ...

Modo Condizionale – **Passato**: avrẹi acceso ...

Modo Congiuntivo – **Passato**: ạbbia acceso ...; **Trapassato**: avessi acceso ...

Modo Infinito – **Presente**: accęndere; **Passato**: avẹre acceso / *Modo Participio* – **Presente**: accendente; **Passato**: acceso / *Modo Gerundio* – **Presente**: accendendo; **Passato**: avendo acceso / *Forma passiva*: ęssere acceso

Modo	Indicativo					Condizionale
Tempo	**Presente**	**Passato Prossimo**	**Imperfetto**	**Passato Remoto**	**Futuro Semplice**	**Semplice**
io	amo	ho amato	amavo	amại	amerò	amerẹi
tu	ami	hai amato	amavi	amasti	amerại	ameresti
lui, lei, Lei	ama	ha amato	amava	amò	amerà	amerebbe
noi	amiamo	abbiamo amato	amavamo	amammo	ameremo	ameremmo
voi	amate	avete amato	amavate	amaste	amerete	amereste
loro	ạmano	hanno amato	amạvano	amạrono	ameranno	amerẹbbero

Modo	Congiuntivo		Imperativo
Tempo	**Presente**	**Imperfetto**	
io	ami	amassi	- - -
tu	ami	amassi	ama
lui, lei, Lei	ami	amasse	ami
noi	amiamo	amạssimo	amiamo
voi	amiate	amaste	amate
loro	ạmino	amạssero	ạmino

Tempi composti

Modo Indicativo – **Trapassato Prossimo**: avevo amato ...; **Trapassato Remoto**: ebbi amato ...; **Futuro Anteriore**: avrò amato ...

Modo Condizionale – **Passato**: avrẹi amato ...

Modo Congiuntivo – **Passato**: ạbbia amato ...; **Trapassato**: avessi amato ...

Modo Infinito – **Presente**: amare; **Passato**: avẹre amato / ***Modo Participio*** – **Presente**: amante; **Passato**: amato / ***Modo Gerundio*** – **Presente**: amando; **Passato**: avendo amato / *Forma passiva*: ẹssere amato

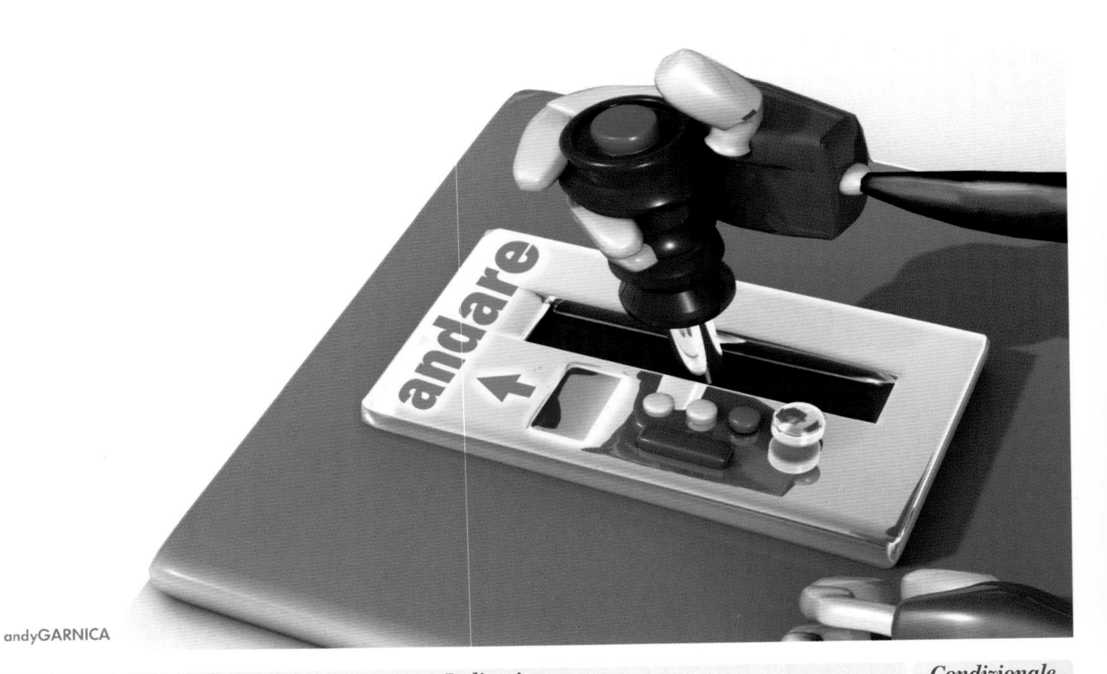

Modo	Indicativo					Condizionale
Tempo	Presente	Passato Prossimo	Imperfetto	Passato Remoto	Futuro Semplice	Semplice
io	vado	sono andato	andavo	andai	andrò	andrei
tu	vai	sei andato	andavi	andasti	andrai	andresti
lui, lei, Lei	va	è andato	andava	andò	andrà	andrebbe
noi	andiamo	siamo andati	andavamo	andammo	andremo	andremmo
voi	andate	siete andati	andavate	andaste	andrete	andreste
loro	vanno	sono andati	andavano	andarono	andranno	andrebbero

Modo	Congiuntivo		Imperativo
Tempo	Presente	Imperfetto	
io	vada	andassi	- - -
tu	vada	andassi	va' (vai)
lui, lei, Lei	vada	andasse	vada
noi	andiamo	andassimo	andiamo
voi	andiate	andaste	andate
loro	vadano	andassero	vadano

Tempi composti

Modo Indicativo – **Trapassato Prossimo**: ero andato ...; **Trapassato Remoto**: fui andato ...; **Futuro Anteriore**: sarò andato ...

Modo Condizionale – **Passato**: sarei andato ...

Modo Congiuntivo – **Passato**: sia andato ...; **Trapassato**: fossi andato ...

Modo Infinito – **Presente**: andare; **Passato**: essere andato / ***Modo Participio*** – **Presente**: andante; **Passato**: andato / ***Modo Gerundio*** – **Presente**: andando; **Passato**: essendo andato / *Forma passiva*: ---

aprịre

(*coprịre, ricoprịre, scoprịre*)

Modo	*Indicativo*					*Condizionale*
Tempo	**Presente**	**Passato Prossimo**	**Imperfetto**	**Passato Remoto**	**Futuro Semplice**	**Semplice**
io	apro	ho aperto	aprivo	aprịi/apersi	aprirò	aprirẹi
tu	apri	hai aperto	aprivi	apristi	aprirại	apriresti
lui, lei, Lei	apre	ha aperto	apriva	aprì/aperse	aprirà	aprirebbe
noi	apriamo	abbiamo aperto	aprivamo	aprimmo	apriremo	apriremmo
voi	aprite	avete aperto	aprivate	apriste	aprirete	aprireste
loro	ạprono	hanno aperto	aprịvano	aprịrono/ apẹrsero	apriranno	aprirẹbbero

Modo	*Congiuntivo*		*Imperativo*
Tempo	**Presente**	**Imperfetto**	
io	apra	aprissi	- - -
tu	apra	aprissi	apri
lui, lei, Lei	apra	aprisse	apra
noi	apriamo	aprịssimo	apriamo
voi	apriate	apriste	aprite
loro	ạprano	aprịssero	ạprano

Tempi composti

Modo Indicativo – **Trapassato Prossimo**: avevo aperto ...; **Trapassato Remoto**: ebbi aperto ...; **Futuro Anteriore**: avrò aperto ...

Modo Condizionale – **Passato**: avrẹi aperto ...

Modo Congiuntivo – **Passato**: ạbbia aperto ...; **Trapassato**: avessi aperto ...

Modo Infinito – **Presente**: aprire; **Passato**: avẹre aperto / ***Modo Participio*** – **Presente**: aprente; **Passato**: aperto / ***Modo Gerundio*** – **Presente**: aprendo; **Passato**: avendo aperto / *Forma passiva*: ẹssere aperto

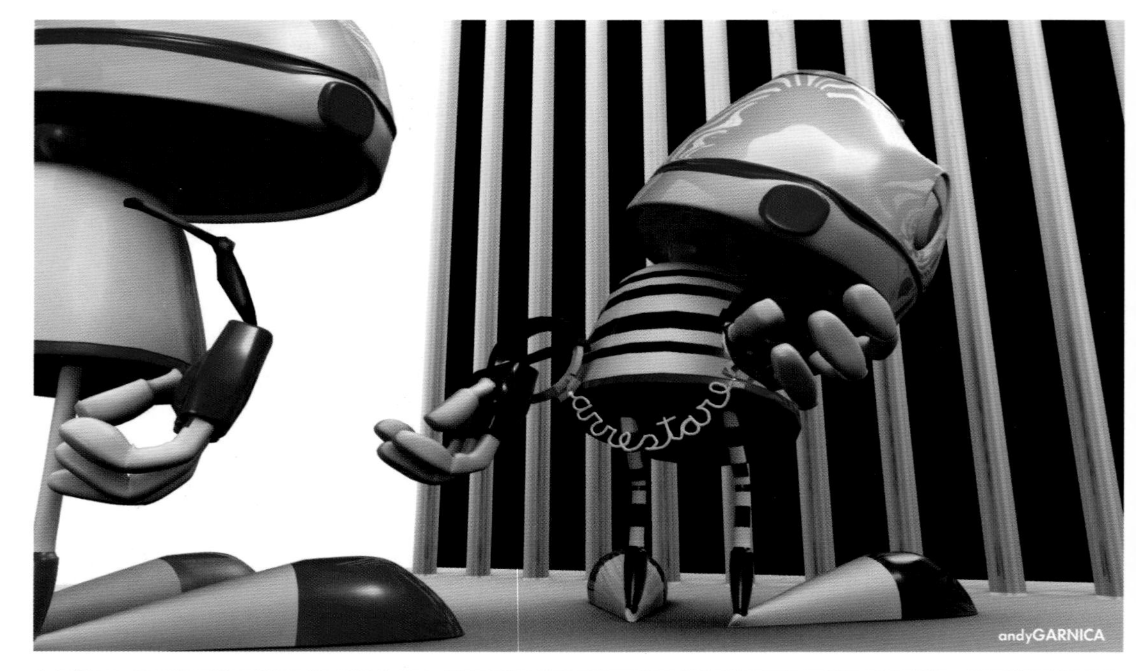

Modo	Indicativo					Condizionale
Tempo	Presente	Passato Prossimo	Imperfetto	Passato Remoto	Futuro Semplice	Semplice
io	arresto	ho arrestato	arrestavo	arrestại	arresterò	arresterẹi
tu	arresti	hai arrestato	arrestavi	arrestasti	arresterại	arresteresti
lui, lei, Lei	arresta	ha arrestato	arrestava	arrestò	arresterà	arresterebbe
noi	arrestiamo	abbiamo arrestato	arrestavamo	arrestammo	arresteremo	arresteremmo
voi	arrestate	avete arrestato	arrestavate	arrestaste	arresterete	arrestereste
loro	arrẹstano	hanno arrestato	arrestạvano	arrestạrono	arresteranno	arresterẹbbero

Modo	Congiuntivo		Imperativo
Tempo	Presente	Imperfetto	
io	arresti	arrestassi	- - -
tu	arresti	arrestassi	arresta
lui, lei, Lei	arresti	arrestasse	arresti
noi	arrestiamo	arrestạssimo	arrestiamo
voi	arrestiate	arrestaste	arrestate
loro	arrẹstino	arrestạssero	arrẹstino

Tempi composti

Modo Indicativo – **Trapassato Prossimo**: avevo arrestato ...; **Trapassato Remoto**: ebbi arrestato ...; **Futuro Anteriore**: avrò arrestato ...

Modo Condizionale – **Passato**: avrẹi arrestato ...

Modo Congiuntivo – **Passato**: ạbbia arrestato ...; **Trapassato**: avessi arrestato ...

Modo Infinito – **Presente**: arrestare; **Passato**: avẹre arrestato / ***Modo Participio*** – **Presente**: arrestante; **Passato**: arrestato / ***Modo Gerundio*** – **Presente**: arrestando; **Passato**: avendo arrestato / *Forma passiva*: ẹssere arrestato

Modo	Indicativo					Condizionale
Tempo	Presente	Passato Prossimo	Imperfetto	Passato Remoto	Futuro Semplice	Semplice
io	arrivo	sono arrivato	arrivavo	arrivại	arriverò	arriverẹi
tu	arrivi	sei arrivato	arrivavi	arrivasti	arriverại	arriveresti
lui, lei, Lei	arriva	è arrivato	arrivava	arrivò	arriverà	arriverebbe
noi	arriviamo	siamo arrivati	arrivavamo	arrivammo	arriveremo	arriveremmo
voi	arrivate	siete arrivati	arrivavate	arrivaste	arriverete	arrivereste
loro	arrịvano	sono arrivati	arrivạvano	arrivạrono	arriveranno	arriverẹbbero

Modo	Congiuntivo		Imperativo
Tempo	Presente	Imperfetto	
io	arrivi	arrivassi	---
tu	arrivi	arrivassi	arrivi
lui, lei, Lei	arrivi	arrivasse	arriva
noi	arriviamo	arrivạssimo	arriviamo
voi	arriviate	arrivaste	arrivate
loro	arrịvino	arrivạssero	arrịvino

Tempi composti

Modo Indicativo – **Trapassato Prossimo**: ero arrivato ...; **Trapassato Remoto**: fui arrivato ...; **Futuro Anteriore**: sarò arrivato ...

Modo Condizionale – **Passato**: sarẹi arrivato ...

Modo Congiuntivo – **Passato**: sia arrivato ...; **Trapassato**: fossi arrivato ...

Modo Infinito – **Presente**: arrivare; **Passato**: ẹssere arrivato / ***Modo Participio*** – **Presente**: arrivante; **Passato**: arrivato / ***Modo Gerundio*** – **Presente**: arrivando; **Passato**: essendo arrivato / *Forma passiva*: ---

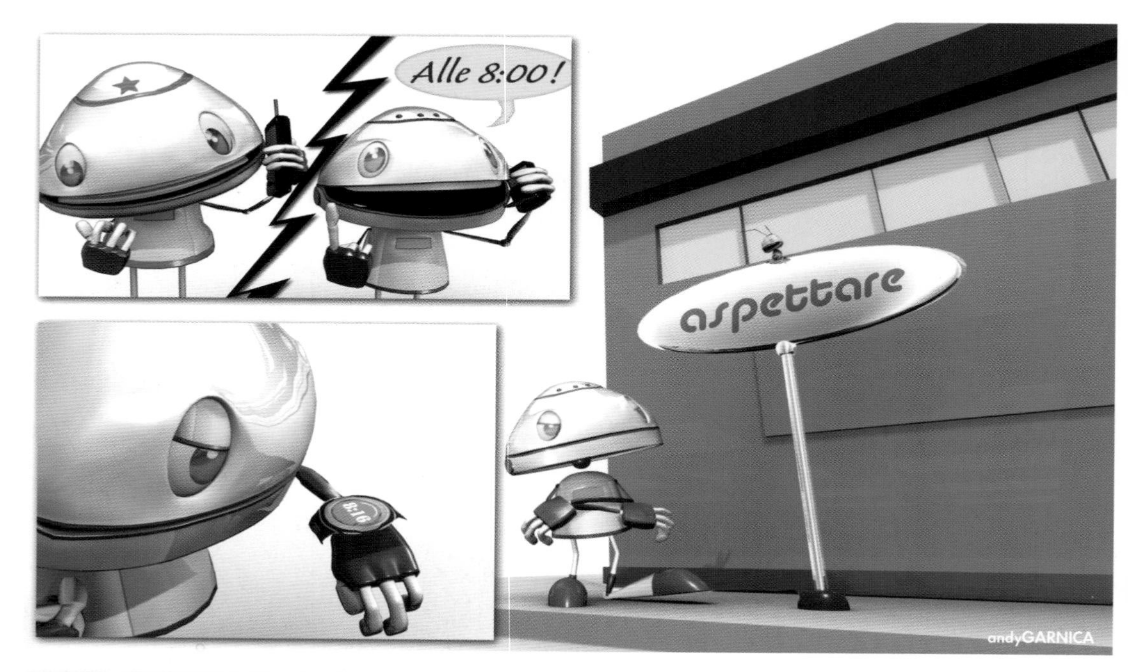

Modo	Indicativo					Condizionale
Tempo	Presente	Passato Prossimo	Imperfetto	Passato Remoto	Futuro Semplice	Semplice
io	aspetto	ho aspettato	aspettavo	aspettại	aspetterò	aspetterẹi
tu	aspetti	hai aspettato	aspettavi	aspettasti	aspetterại	aspetteresti
lui, lei, Lei	aspetta	ha aspettato	aspettava	aspettò	aspetterà	aspetterebbe
noi	aspettiamo	abbiamo aspettato	aspettavamo	aspettammo	aspetteremo	aspetteremmo
voi	aspettate	avete aspettato	aspettavate	aspettaste	aspetterete	aspettereste
loro	aspẹttano	hanno aspettato	aspettạvano	aspettạrono	aspetteranno	aspetterẹbbero

Modo	Congiuntivo		Imperativo
Tempo	Presente	Imperfetto	
io	aspetti	aspettassi	- - -
tu	aspetti	aspettassi	aspetta
lui, lei, Lei	aspetti	aspettasse	aspetti
noi	aspettiamo	aspettạssimo	aspettiamo
voi	aspettiate	aspettaste	aspettate
loro	aspẹttino	aspettạssero	aspẹttino

Tempi composti

Modo Indicativo – **Trapassato Prossimo**: avevo aspettato ...; **Trapassato Remoto**: ebbi aspettato ...; **Futuro Anteriore**: avrò aspettato ...

Modo Condizionale – **Passato**: avrẹi aspettato ...

Modo Congiuntivo – **Passato**: ạbbia aspettato ...; **Trapassato**: avessi aspettato ...

Modo Infinito – **Presente**: aspettare; **Passato**: avẹre aspettato / ***Modo Participio*** – **Presente**: aspettante; **Passato**: aspettato / ***Modo Gerundio*** – **Presente**: aspettando; **Passato**: avendo aspettato / *Forma passiva*: ẹssere aspettato

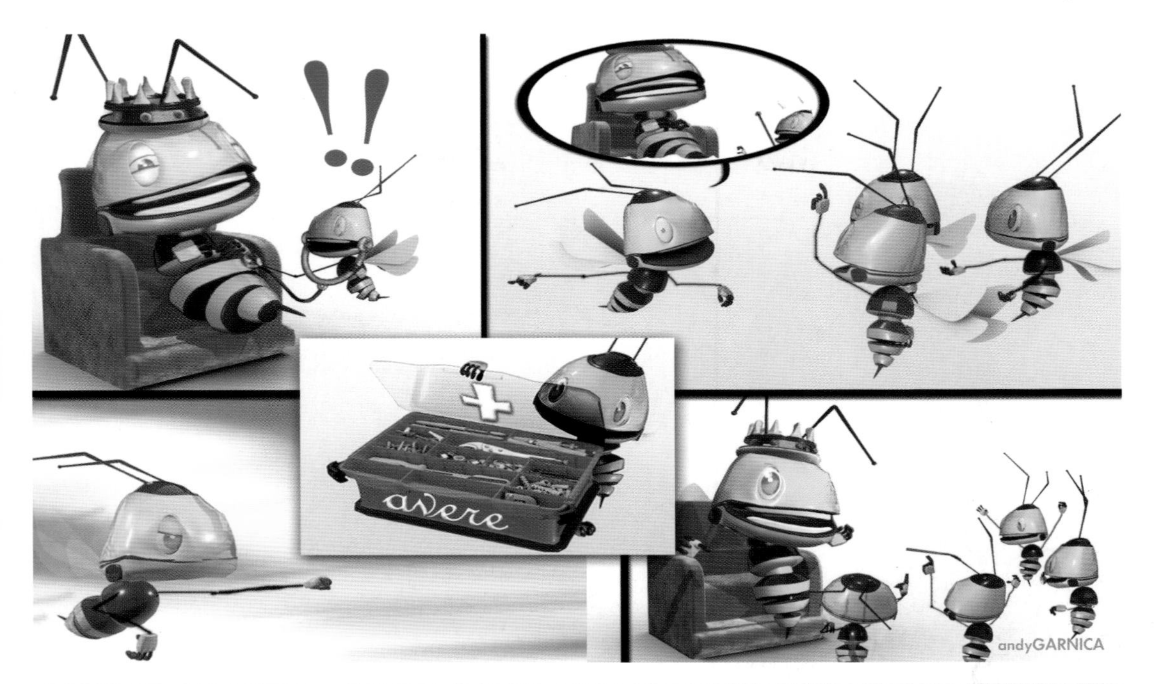

Modo	*Indicativo*					*Condizionale*
Tempo	**Presente**	**Passato Prossimo**	**Imperfetto**	**Passato Remoto**	**Futuro Semplice**	**Semplice**
io	ho	ho avuto	avevo	ebbi	avrò	avrẹi
tu	hai	hai avuto	avevi	avesti	avrại	avresti
lui, lei, Lei	ha	ha avuto	aveva	ebbe	avrà	avrebbe
noi	abbiamo	abbiamo avuto	avevamo	avemmo	avremo	avremmo
voi	avete	avete avuto	avevate	aveste	avrete	avreste
loro	hanno	hanno avuto	avẹvano	ẹbbero	avranno	avrẹbbero

Modo	*Congiuntivo*		*Imperativo*
Tempo	**Presente**	**Imperfetto**	
io	ạbbia	avessi	- - -
tu	ạbbia	avessi	abbi
lui, lei, Lei	ạbbia	avesse	ạbbia
noi	abbiamo	avẹssimo	abbiamo
voi	abbiate	aveste	abbiate
loro	ạbbiano	avẹssero	ạbbiano

Tempi composti

Modo Indicativo – **Trapassato Prossimo**: avevo avuto ...; **Trapassato Remoto**: ebbi avuto ...; **Futuro Anteriore**: avrò avuto ...

Modo Condizionale – **Passato**: avrẹi avuto ...

Modo Congiuntivo – **Passato**: ạbbia avuto ...; **Trapassato**: avessi avuto ...

Modo Infinito – **Presente**: avẹre; **Passato**: avẹre avuto / ***Modo Participio*** – **Presente**: avente; **Passato**: avuto / ***Modo Gerundio*** – **Presente**: avendo; **Passato**: avendo avuto / *Forma passiva*: ---

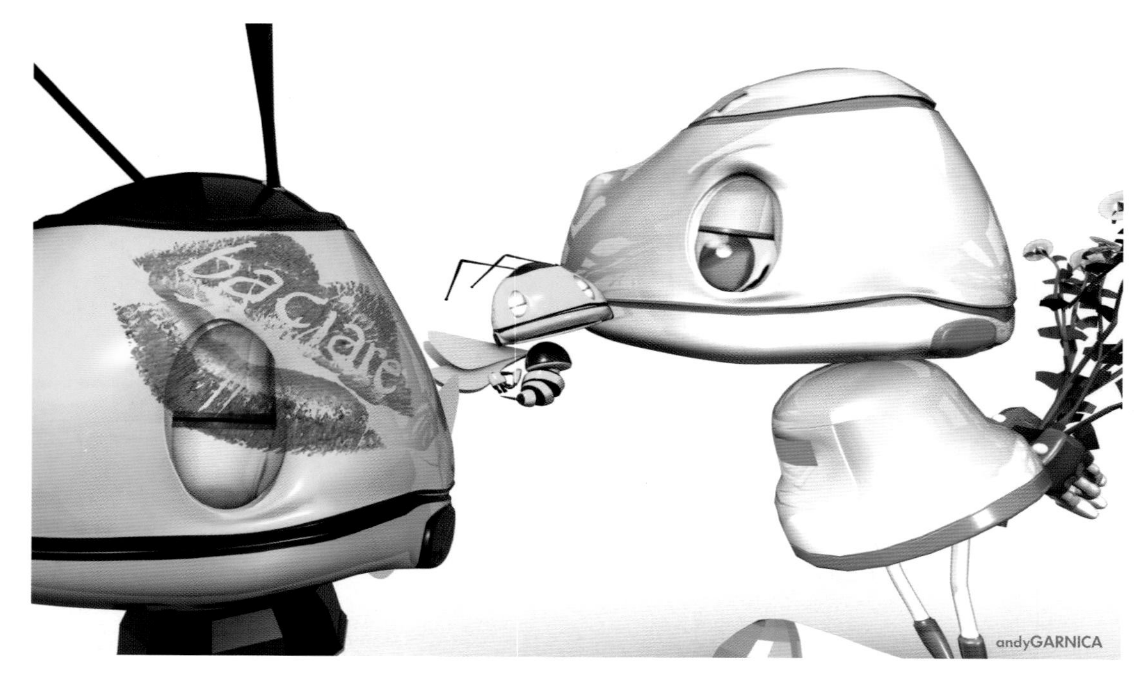

Modo	Indicativo					Condizionale
Tempo	Presente	Passato Prossimo	Imperfetto	Passato Remoto	Futuro Semplice	Semplice
io	bacio	ho baciato	baciavo	baciại	bacerò	bacerẹi
tu	baci	hai baciato	baciavi	baciasti	bacerại	baceresti
lui, lei, Lei	bacia	ha baciato	baciạva	baciò	bacerà	bacerebbe
noi	baciamo	abbiamo baciato	baciavamo	baciammo	baceremo	baceremmo
voi	baciate	avete baciato	baciavate	baciaste	bacerete	bacereste
loro	bạciano	hanno baciato	baciạvano	baciạrono	baceranno	bacerẹbbero

Modo	Congiuntivo		Imperativo
Tempo	Presente	Imperfetto	
io	baci	baciassi	- - -
tu	baci	baciassi	bacia
lui, lei, Lei	baci	baciasse	baci
noi	baciamo	baciạssimo	baciamo
voi	baciate	baciaste	baciate
loro	bạcino	baciạssero	bạcino

Tempi composti

Modo Indicativo – **Trapassato Prossimo**: avevo baciato ...; **Trapassato Remoto**: ebbi baciato ...; **Futuro Anteriore**: avrò baciato ...

Modo Condizionale – **Passato**: avrẹi baciato ...

Modo Congiuntivo – **Passato**: ạbbia baciato ...; **Trapassato**: avessi baciato ...

Modo Infinito – **Presente**: baciare; **Passato**: avẹre baciato / ***Modo Participio*** – **Presente**: baciante; **Passato**: baciato / ***Modo Gerundio*** – **Presente**: baciando; **Passato**: avendo baciato / *Forma passiva*: ẹssere baciato

Modo	*Indicativo*					*Condizionale*
Tempo	**Presente**	**Passato Prossimo**	**Imperfetto**	**Passato Remoto**	**Futuro Semplice**	**Semplice**
io	ballo	ho ballato	ballavo	ballại	ballerò	ballerẹi
tu	balli	hai ballato	ballavi	ballasti	ballerại	balleresti
lui, lei, Lei	balla	ha ballato	ballava	ballò	ballerà	ballerebbe
noi	balliamo	abbiamo ballato	ballavamo	ballammo	balleremo	balleremmo
voi	ballate	avete ballato	ballavate	ballaste	ballerete	ballereste
loro	bạllano	hanno ballato	ballạvano	ballạrono	balleranno	ballerẹbbero

Modo	*Congiuntivo*		*Imperativo*
Tempo	**Presente**	**Imperfetto**	
io	balli	ballassi	- - -
tu	balli	ballassi	balla
lui, lei, Lei	balli	ballasse	balli
noi	balliamo	ballạssimo	balliamo
voi	balliate	ballaste	ballate
loro	bạllino	ballạssero	bạllino

Tempi composti

Modo Indicativo – **Trapassato Prossimo**: avevo ballato ...; **Trapassato Remoto**: ebbi ballato ...; **Futuro Anteriore**: avrò ballato ...

Modo Condizionale – **Passato**: avrẹi ballato ...

Modo Congiuntivo – **Passato**: ạbbia ballato ...; **Trapassato**: avessi ballato ...

Modo Infinito – **Presente**: ballare; **Passato**: avẹre ballato / ***Modo Participio*** – **Presente**: ballante; **Passato**: ballato / ***Modo Gerundio*** – **Presente**: ballando; **Passato**: avendo ballato / *Forma passiva*: ẹssere ballato

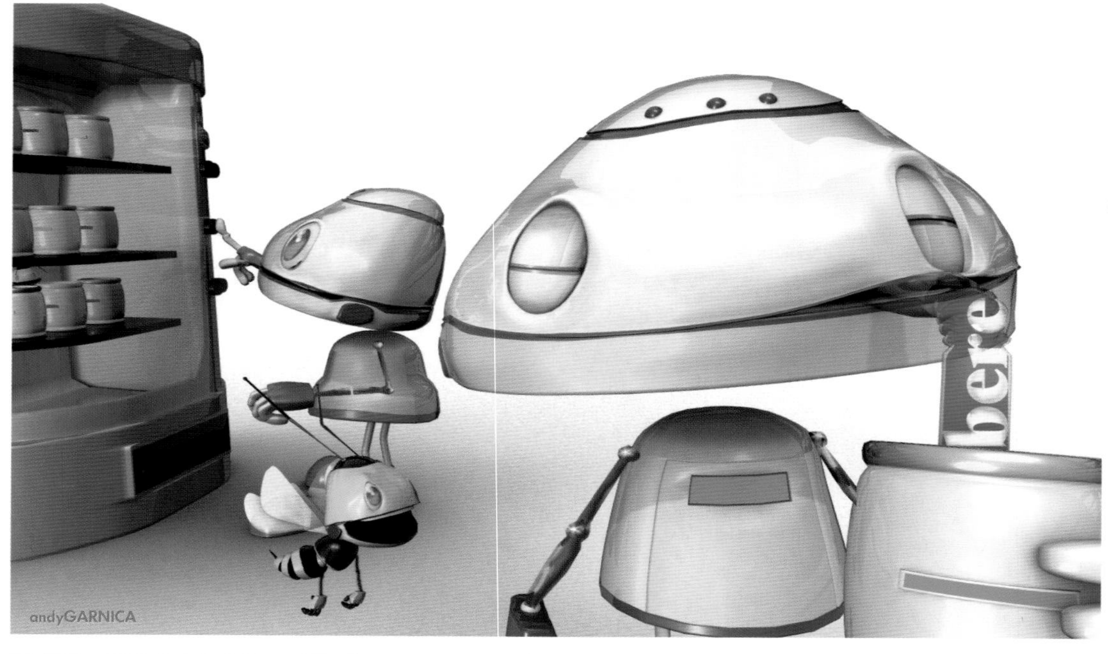

Modo	Indicativo					Condizionale
Tempo	**Presente**	**Passato Prossimo**	**Imperfetto**	**Passato Remoto**	**Futuro Semplice**	**Semplice**
io	bevo	ho bevuto	bevevo	bevvi	berrò	berrẹi
tu	bevi	hai bevuto	bevevi	bevesti	berrại	berresti
lui, lei, Lei	beve	ha bevuto	beveva	bevve	berrà	berrebbe
noi	beviamo	abbiamo bevuto	bevevamo	bevemmo	berremo	berremmo
voi	bevete	avete bevuto	bevevate	beveste	berrete	berreste
loro	bẹvono	hanno bevuto	bevẹvano	bẹvvero	berranno	berrẹbbero

Modo	Congiuntivo		Imperativo
Tempo	**Presente**	**Imperfetto**	
io	beva	bevessi	- - -
tu	beva	bevessi	bevi
lui, lei, Lei	beva	bevesse	beva
noi	beviamo	bevẹssimo	beviamo
voi	beviate	beveste	bevete
loro	bẹvano	bevẹssero	bẹvano

Tempi composti

Modo Indicativo – **Trapassato Prossimo**: avevo bevuto ...; **Trapassato Remoto**: ebbi bevuto ...; **Futuro Anteriore**: avrò bevuto ...

Modo Condizionale – **Passato**: avrẹi bevuto ...

Modo Congiuntivo – **Passato**: ạbbia bevuto ...; **Trapassato**: avessi bevuto ...

Modo Infinito – **Presente**: bere; **Passato**: avẹre bevuto / ***Modo Participio*** – **Presente**: bevente; **Passato**: bevuto / ***Modo Gerundio*** – **Presente**: bevendo; **Passato**: avendo bevuto / *Forma passiva*: ẹssere bevuto

cadẹre

(*accadẹre, decadẹre, ricadẹre, scadẹre*)

Modo	*Indicativo*					*Condizionale*
Tempo	**Presente**	**Passato Prossimo**	**Imperfetto**	**Passato Remoto**	**Futuro Semplice**	**Semplice**
io	cado	sono caduto	cadevo	caddi	cadrò	cadrẹi
tu	cadi	sei caduto	cadevi	cadesti	cadrại	cadresti
lui, lei, Lei	cade	è caduto	cadeva	cadde	cadrà	cadrebbe
noi	cadiamo	siamo caduti	cadevamo	cademmo	cadremo	cadremmo
voi	cadete	siete caduti	cadevate	cadeste	cadrete	cadreste
loro	cạdono	sono caduti	cadẹvano	cạddero	cadranno	cadrẹbbero

Modo	*Congiuntivo*		*Imperativo*
Tempo	**Presente**	**Imperfetto**	
io	cada	cadessi	- - -
tu	cada	cadessi	cadi
lui, lei, Lei	cada	cadesse	cada
noi	cadiamo	cadẹssimo	cadiamo
voi	cadiate	cadeste	cadete
loro	cạdano	cadẹssero	cạdano

Tempi composti

Modo Indicativo **– Trapassato Prossimo**: ero caduto ...; **Trapassato Remoto**: fui caduto ...; **Futuro Anteriore**: sarò caduto ...

Modo Condizionale **– Passato**: sarẹi caduto ...

Modo Congiuntivo **– Passato**: sia caduto ...; **Trapassato**: fossi caduto ...

Modo Infinito **– Presente**: cadere; **Passato**: ẹssere caduto / ***Modo Participio*** **– Presente**: cadente; **Passato**: caduto / ***Modo Gerundio*** **– Presente**: cadendo; **Passato**: essendo caduto / *Forma passiva*: ---

Modo	Indicativo					Condizionale
Tempo	**Presente**	**Passato Prossimo**	**Imperfetto**	**Passato Remoto**	**Futuro Semplice**	**Semplice**
io	calcio	ho calciato	calciavo	calciąi	calcerò	calcerẹi
tu	calci	hai calciato	calciavi	calciasti	calcerąi	calceresti
lui, lei, Lei	calcia	ha calciato	calciava	calciò	calcerà	calcerebbe
noi	calciamo	abbiamo calciato	calciavamo	calciammo	calceremo	calceremmo
voi	calciate	avete calciato	calciavate	calciaste	calcerete	calcereste
loro	cąlciano	hanno calciato	calciąvano	calciąrono	calceranno	calcerẹbbero

Modo	Congiuntivo		Imperativo
Tempo	**Presente**	**Imperfetto**	
io	calci	calciassi	- - -
tu	calci	calciassi	calcia
lui, lei, Lei	calci	calciasse	calci
noi	calciamo	calciąssimo	calciamo
voi	calciate	calciaste	calciate
loro	cąlcino	calciąssero	cąlcino

Tempi composti

Modo Indicativo – **Trapassato Prossimo**: avevo calciato ...; **Trapassato Remoto**: ebbi calciato ...; **Futuro Anteriore**: avrò calciato ...

Modo Condizionale – **Passato**: avrẹi calciato ...

Modo Congiuntivo – **Passato**: ąbbia calciato ...; **Trapassato**: avessi calciato ...

Modo Infinito – **Presente**: calciare; **Passato**: avẹre calciato / ***Modo Participio*** – **Presente**: calciante; **Passato**: calciato / ***Modo Gerundio*** – **Presente**: calciando; **Passato**: avendo calciato / *Forma passiva*: ẹssere calciato

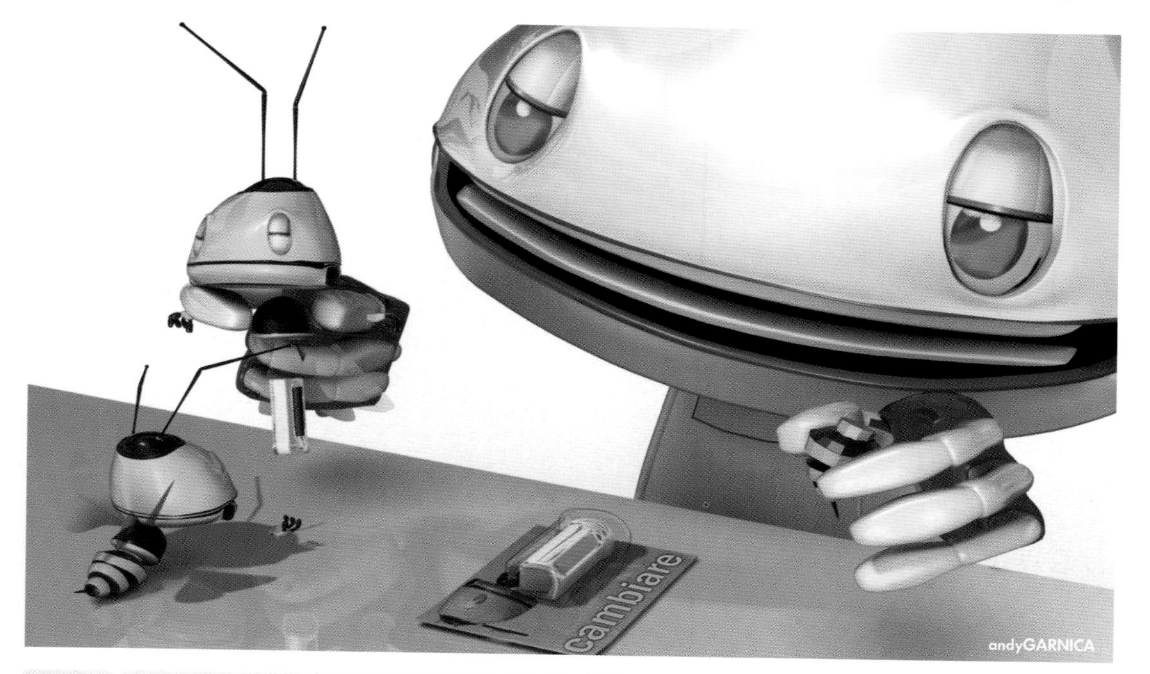

Modo	Indicativo					Condizionale
Tempo	Presente	Passato Prossimo	Imperfetto	Passato Remoto	Futuro Semplice	Semplice
io	cambio	ho/sono cambiato	cambiavo	cambiại	cambierò	cambierẹi
tu	cambi	hai/sei cambiato	cambiavi	cambiasti	cambierại	cambieresti
lui, lei, Lei	cambia	ha/è cambiato	cambiava	cambiò	cambierà	cambierebbe
noi	cambiamo	abbiạmo cambiato/ siamo cambiati	cambiavamo	cambiammo	cambieremo	cambieremmo
voi	cambiate	avete cambiato/ siete cambiati	cambiavate	cambiaste	cambierete	cambiereste
loro	cạmbiano	hanno cambiato/ sono cambiati	cambiạvano	cambiạrono	cambieranno	cambierẹbbero

Modo	Congiuntivo		Imperativo
Tempo	Presente	Imperfetto	
io	cambi	cambiassi	- - -
tu	cambi	cambiassi	cambia
lui, lei, Lei	cambi	cambiasse	cambi
noi	cambiamo	cambiạssimo	cambiamo
voi	cambiate	cambiaste	cambiate
loro	cạmbino	cambiạssero	cạmbino

Tempi composti

Modo Indicativo – **Trapassato Prossimo**: avevo/ero cambiato ...; **Trapassato Remoto**: ebbi/fui cambiato ...; **Futuro Anteriore**: avrò/sarò cambiato ...

Modo Condizionale – **Passato**: avrẹi/sarẹi cambiato ...

Modo Congiuntivo – **Passato**: ạbbia/sia cambiato ...; **Trapassato**: avessi/fossi cambiato ...

Modo Infinito – **Presente**: cambiare; **Passato**: avẹre/ẹssere cambiato / ***Modo Participio*** – **Presente**: cambiante; **Passato**: cambiato / ***Modo Gerundio*** – **Presente**: cambiando; **Passato**: avendo/essendo cambiato / *Forma passiva*: ẹssere cambiato (verbo transitivo)

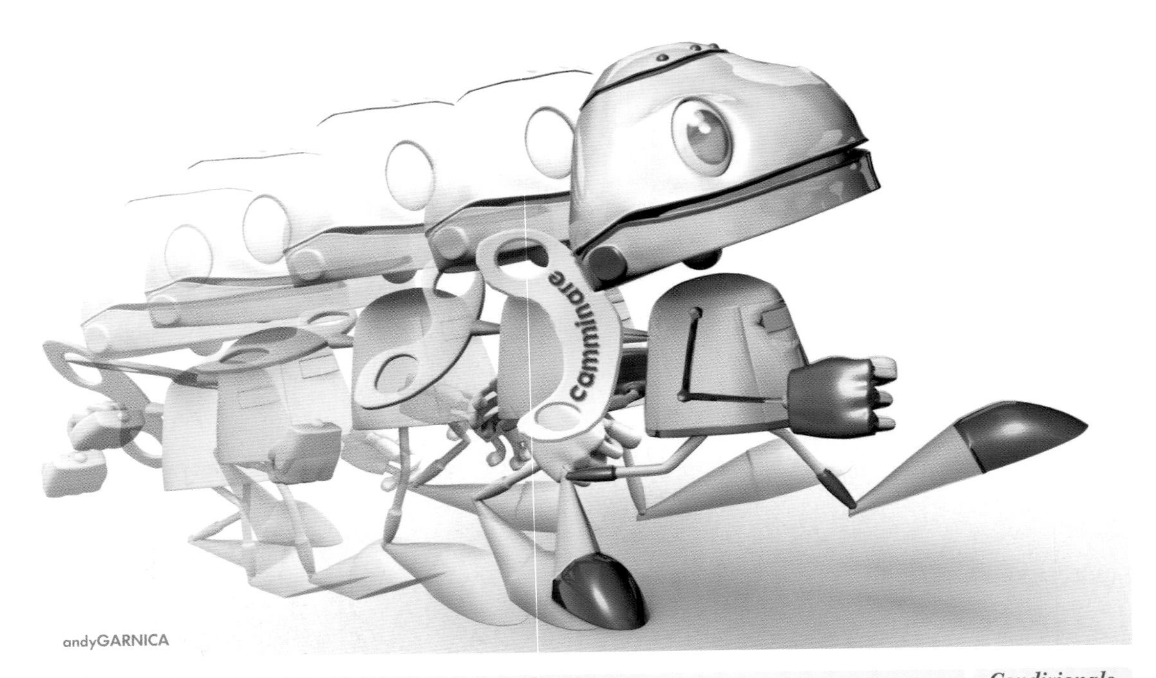

Modo			Indicativo			Condizionale
Tempo	Presente	Passato Prossimo	Imperfetto	Passato Remoto	Futuro Semplice	Semplice
io	cammino	ho camminato	camminavo	camminại	camminerò	camminerẹi
tu	cammini	hai camminato	camminavi	camminasti	camminerại	cammineresti
lui, lei, Lei	cammina	ha camminato	camminava	camminò	camminerà	camminerebbe
noi	camminiamo	abbiamo camminato	camminavamo	camminammo	cammineremo	cammineremmo
voi	camminate	avete camminato	camminavate	camminaste	camminerete	camminereste
loro	cammịnano	hanno camminato	camminạvano	camminạrono	cammineranno	camminerẹbbero

Modo	Congiuntivo		Imperativo
Tempo	Presente	Imperfetto	
io	cammini	camminassi	---
tu	cammini	camminassi	cammina
lui, lei, Lei	cammini	camminasse	cammini
noi	camminiamo	camminạssimo	camminiamo
voi	camminiate	camminaste	camminate
loro	cammịnino	camminạssero	cammịnino

Tempi composti

Modo Indicativo – **Trapassato Prossimo**: avevo camminato ...; **Trapassato Remoto**: ebbi camminato ...; **Futuro Anteriore**: avrò camminato ...

Modo Condizionale – **Passato**: avrẹi camminato ...

Modo Congiuntivo – **Passato**: ạbbia camminato ...; **Trapassato**: avessi camminato ...

Modo Infinito – **Presente**: camminare; **Passato**: avẹre camminato / ***Modo Participio*** – **Presente**: camminante; **Passato**: camminato / ***Modo Gerundio*** – **Presente**: camminando; **Passato**: avendo camminato / *Forma passiva*: ---

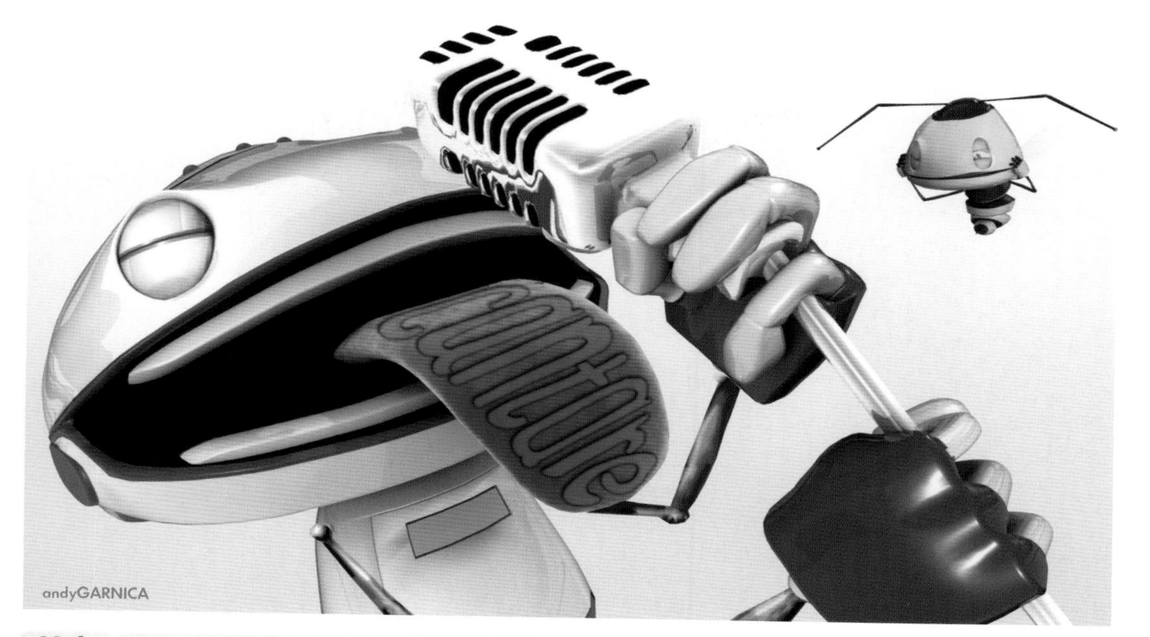

Modo	*Indicativo*					*Condizionale*
Tempo	**Presente**	**Passato Prossimo**	**Imperfetto**	**Passato Remoto**	**Futuro Semplice**	**Semplice**
io	canto	ho cantato	cantavo	cantại	canterò	canterẹi
tu	canti	hai cantato	cantavi	cantasti	canterại	canteresti
lui, lei, Lei	canta	ha cantato	cantava	cantò	canterà	canterebbe
noi	cantiamo	abbiamo cantato	cantavamo	cantammo	canteremo	canteremmo
voi	cantate	avete cantato	cantavate	cantaste	canterete	cantereste
loro	cạntano	hanno cantato	cantạvano	cantạrono	canteranno	canterẹbbero

Modo	*Congiuntivo*		*Imperativo*
Tempo	**Presente**	**Imperfetto**	
io	canti	cantassi	- - -
tu	canti	cantassi	canta
lui, lei, Lei	canti	cantasse	canti
noi	cantiamo	cantạssimo	cantiamo
voi	cantiate	cantaste	cantate
loro	cạntino	cantạssero	cạntino

Tempi composti

***Modo Indicativo* – Trapassato Prossimo**: avevo cantato ...; **Trapassato Remoto**: ebbi cantato ...; **Futuro Anteriore**: avrò cantato ...

***Modo Condizionale* – Passato**: avrẹi cantato ...

***Modo Congiuntivo* – Passato**: ạbbia cantato ...; **Trapassato**: avessi cantato ...

***Modo Infinito* – Presente**: cantare; **Passato**: avẹre cantato / ***Modo Participio* – Presente**: cantante; **Passato**: cantato / ***Modo Gerundio* – Presente**: cantando; **Passato**: avendo cantato / *Forma passiva*: ẹssere cantato

Modo	Indicativo					Condizionale
Tempo	Presente	Passato Prossimo	Imperfetto	Passato Remoto	Futuro Semplice	Semplice
io	cerco	ho cercato	cercavo	cercai	cercherò	cercherei
tu	cerchi	hai cercato	cercavi	cercasti	cercherai	cercheresti
lui, lei, Lei	cerca	ha cercato	cercava	cercò	cercherà	cercherebbe
noi	cerchiamo	abbiamo cercato	cercavamo	cercammo	cercheremo	cercheremmo
voi	cercate	avete cercato	cercavate	cercaste	cercherete	cerchereste
loro	cercano	hanno cercato	cercavano	cercarono	cercheranno	cercherebbero

Modo	Congiuntivo		Imperativo
Tempo	Presente	Imperfetto	
io	cerchi	cercassi	- - -
tu	cerchi	cercassi	cerca
lui, lei, Lei	cerchi	cercasse	cerchi
noi	cerchiamo	cercassimo	cerchiamo
voi	cerchiate	cercaste	cercate
loro	cerchino	cercassero	cerchino

Tempi composti

Modo Indicativo – **Trapassato Prossimo**: avevo cercato ...; **Trapassato Remoto**: ebbi cercato ...; **Futuro Anteriore**: avrò cercato ...

Modo Condizionale – **Passato**: avrei cercato ...

Modo Congiuntivo – **Passato**: abbia cercato ...; **Trapassato**: avessi cercato ...

Modo Infinito – **Presente**: cercare; **Passato**: avere cercato / ***Modo Participio*** – **Presente**: cercante; **Passato**: cercato / ***Modo Gerundio*** – **Presente**: cercando; **Passato**: avendo cercato / *Forma passiva*: essere cercato

Modo	*Indicativo*					*Condizionale*
Tempo	**Presente**	**Passato Prossimo**	**Imperfetto**	**Passato Remoto**	**Futuro Semplice**	**Semplice**
io	chiamo	ho chiamato	chiamavo	chiamại	chiamerò	chiamerẹi
tu	chiami	hai chiamato	chiamavi	chiamasti	chiamerại	chiameresti
lui, lei, Lei	chiama	ha chiamato	chiamava	chiamò	chiamerà	chiamerebbe
noi	chiamiamo	abbiamo chiamato	chiamavamo	chiamammo	chiameremo	chiameremmo
voi	chiamate	avete chiamato	chiamavate	chiamaste	chiamerete	chiamereste
loro	chiạmano	hanno chiamato	chiamạvano	chiamạrono	chiameranno	chiamerẹbbero

Modo	*Congiuntivo*		*Imperativo*
Tempo	**Presente**	**Imperfetto**	
io	chiami	chiamassi	- - -
tu	chiami	chiamassi	chiama
lui, lei, Lei	chiami	chiamasse	chiami
noi	chiamiamo	chiamạssimo	chiamiamo
voi	chiamiate	chiamaste	chiamate
loro	chiạmino	chiamạssero	chiạmino

Tempi composti

Modo Indicativo – **Trapassato Prossimo**: avevo chiamato ...; **Trapassato Remoto**: ebbi chiamato ...; **Futuro Anteriore**: avrò chiamato ...

Modo Condizionale – **Passato**: avrẹi chiamato ...

Modo Congiuntivo – **Passato**: ạbbia chiamato ...; **Trapassato**: avessi chiamato

Modo Infinito – **Presente**: chiamare; **Passato**: avẹre chiamato / ***Modo Participio*** – **Presente**: chiamante; **Passato**: chiamato / ***Modo Gerundio*** – **Presente**: chiamando; **Passato**: avendo chiamato / *Forma passiva*: ẹssere chiamato

chiẹdere
(*richiẹdere*)

Modo	*Indicativo*					*Condizionale*
Tempo	**Presente**	**Passato Prossimo**	**Imperfetto**	**Passato Remoto**	**Futuro Semplice**	**Semplice**
io	chiedo	ho chiesto	chiedevo	chiesi	chiederò	chiederẹi
tu	chiedi	hai chiesto	chiedevi	chiedesti	chiederẹi	chiederesti
lui, lei, Lei	chiede	ha chiesto	chiedeva	chiese	chiederà	chiederebbe
noi	chiediamo	abbiamo chiesto	chiedevamo	chiedemmo	chiederemo	chiederemmo
voi	chiedete	avete chiesto	chiedevate	chiedeste	chiederete	chiedereste
loro	chiẹdono	hanno chiesto	chiedẹvano	chiẹsero	chiederanno	chiederẹbbero

Modo	*Congiuntivo*		*Imperativo*
Tempo	**Presente**	**Imperfetto**	
io	chieda	chiedessi	- - -
tu	chieda	chiedessi	chiedi
lui, lei, Lei	chieda	chiedesse	chieda
noi	chiediamo	chiedẹssimo	chiediamo
voi	chiediate	chiedeste	chiedete
loro	chiẹdano	chiedẹssero	chiẹdano

Tempi composti

Modo Indicativo **– Trapassato Prossimo**: avevo chiesto ...; **Trapassato Remoto**: ebbi chiesto ...; **Futuro Anteriore**: avrò chiesto ...

Modo Condizionale **– Passato**: avrẹi chiesto ...

Modo Congiuntivo **– Passato**: ạbbia chiesto ...; **Trapassato**: avessi chiesto ...

Modo Infinito **– Presente**: chiẹdere; **Passato**: avẹre chiesto / ***Modo Participio*** **– Presente**: chiedente; **Passato**: chiesto / ***Modo Gerundio*** **– Presente**: chiedendo; **Passato**: avendo chiesto / *Forma passiva*: ẹssere chiesto

Modo	Indicativo					Condizionale
Tempo	Presente	Passato Prossimo	Imperfetto	Passato Remoto	Futuro Semplice	Semplice
io	chiudo	ho chiuso	chiudevo	chiusi	chiuderò	chiuderẹi
tu	chiudi	hai chiuso	chiudevi	chiudesti	chiuderại	chiuderesti
lui, lei, Lei	chiude	ha chiuso	chiudeva	chiuse	chiuderà	chiuderebbe
noi	chiudiamo	abbiamo chiuso	chiudevamo	chiudemmo	chiuderemo	chiuderemmo
voi	chiudete	avete chiuso	chiudevate	chiudeste	chiuderete	chiudereste
loro	chiụdono	hanno chiuso	chiudẹvano	chiụsero	chiuderanno	chiuderẹbbero

Modo	Congiuntivo		Imperativo
Tempo	Presente	Imperfetto	
io	chiuda	chiudessi	- - -
tu	chiuda	chiudessi	chiudi
lui, lei, Lei	chiuda	chiudesse	chiuda
noi	chiudiamo	chiudẹssimo	chiudiamo
voi	chiudiate	chiudeste	chiudete
loro	chiụdano	chiudẹssero	chiụdano

Tempi composti

Modo Indicativo – **Trapassato Prossimo**: avevo chiuso ...; **Trapassato Remoto**: ebbi chiuso ...; **Futuro Anteriore**: avrò chiuso ...

Modo Condizionale – **Passato**: avrẹi chiuso ...

Modo Congiuntivo – **Passato**: ạbbia chiuso ...; **Trapassato**: avessi chiuso ...

Modo Infinito – **Presente**: chiụdere; **Passato**: avẹre chiuso / ***Modo Participio*** – **Presente**: chiudente; **Passato**: chiuso / ***Modo Gerundio*** – **Presente**: chiudendo; **Passato**: avendo chiuso / *Forma passiva*: ẹssere chiuso

Modo	Indicativo					Condizionale
Tempo	**Presente**	**Passato Prossimo**	**Imperfetto**	**Passato Remoto**	**Futuro Semplice**	**Semplice**
io	compro	ho comprato	compravo	comprại	comprerò	comprerẹi
tu	compri	hai comprato	compravi	comprasti	comprerại	compreresti
lui, lei, Lei	compra	ha comprato	comprava	comprò	comprerà	comprerebbe
noi	compriamo	abbiamo comprato	compravamo	comprammo	compreremo	compreremmo
voi	comprate	avete comprato	compravate	compraste	comprerete	comprereste
loro	cọmprano	hanno comprato	comprạvano	comprạrono	compreranno	comprerẹbbero

Modo	Congiuntivo		Imperativo
Tempo	**Presente**	**Imperfetto**	
io	compri	comprassi	- - -
tu	compri	comprassi	compra
lui, lei, Lei	compri	comprasse	compri
noi	compriamo	comprạssimo	compriamo
voi	compriate	compraste	comprate
loro	cọmprino	comprạssero	cọmprino

Tempi composti

Modo Indicativo – **Trapassato Prossimo**: avevo comprato ...; **Trapassato Remoto**: ebbi comprato ...; **Futuro Anteriore**: avrò comprato ...

Modo Condizionale – **Passato**: avrẹi comprato ...

Modo Congiuntivo – **Passato**: ạbbia comprato ...; **Trapassato**: avessi comprato

Modo Infinito – **Presente**: comprare; **Passato**: avẹre comprato / ***Modo Participio*** – **Presente**: comprante; **Passato**: comprato / ***Modo Gerundio*** – **Presente**: comprando; **Passato**: avendo comprato / *Forma passiva*: ẹssere comprato

Modo	Indicativo					Condizionale
Tempo	**Presente**	**Passato Prossimo**	**Imperfetto**	**Passato Remoto**	**Futuro Semplice**	**Semplice**
io	conto	ho contato	contavo	contai	conterò	conterei
tu	conti	hai contato	contavi	contasti	conterai	conteresti
lui, lei, Lei	conta	ha contato	contava	contò	conterà	conterebbe
noi	contiamo	abbiamo contato	contavamo	contammo	conteremo	conteremmo
voi	contate	avete contato	contavate	contaste	conterete	contereste
loro	contano	hanno contato	contavano	contarono	conteranno	conterebbero

Modo	Congiuntivo		Imperativo
Tempo	**Presente**	**Imperfetto**	
io	conti	contassi	- - -
tu	conti	contassi	conta
lui, lei, Lei	conti	contasse	conti
noi	contiamo	contassimo	contiamo
voi	contiate	contaste	contate
loro	contino	contassero	contino

Tempi composti

Modo Indicativo – **Trapassato Prossimo**: avevo contato ...; **Trapassato Remoto**: ebbi contato ...; **Futuro Anteriore**: avrò contato ...

Modo Condizionale – **Passato**: avrei contato ...

Modo Congiuntivo – **Passato**: abbia contato ...; **Trapassato**: avessi contato ...

Modo Infinito – **Presente**: contare; **Passato**: avere contato / ***Modo Participio*** – **Presente**: contante; **Passato**: contato / ***Modo Gerundio*** – **Presente**: contando; **Passato**: avendo contato / *Forma passiva*: essere contato

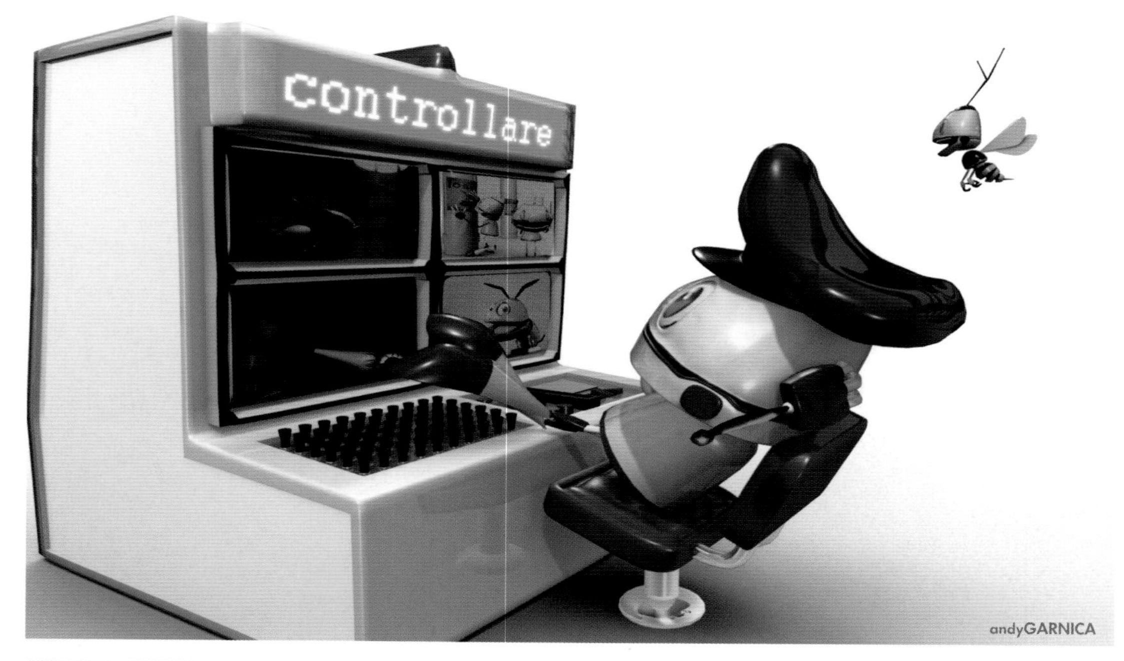

Modo	Indicativo					Condizionale
Tempo	Presente	Passato Prossimo	Imperfetto	Passato Remoto	Futuro Semplice	Semplice
io	controllo	ho controllato	controllavo	controllại	controllerò	controllerẹi
tu	controlli	hai controllato	controllavi	controllasti	controllerại	controlleresti
lui, lei, Lei	controlla	ha controllato	controllava	controllò	controllerà	controllerebbe
noi	controlliamo	abbiamo controllato	controllavamo	controllammo	controlleremo	controlleremmo
voi	controllate	avete controllato	controllavate	controllaste	controllerete	controllereste
loro	contrọllano	hanno controllato	controllạvano	controllạrono	controlleranno	controllerẹbbero

Modo	Congiuntivo		Imperativo
Tempo	Presente	Imperfetto	
io	controlli	controllassi	- - -
tu	controlli	controllassi	controlla
lui, lei, Lei	controlli	controllasse	controlli
noi	controlliamo	controllạssimo	controlliamo
voi	controlliate	controllaste	controllate
loro	contrọllino	controllạssero	contrọllino

Tempi composti

Modo Indicativo – **Trapassato Prossimo**: avevo controllato ...; **Trapassato Remoto**: ebbi controllato ...; **Futuro Anteriore**: avrò controllato ...

Modo Condizionale – **Passato**: avrẹi controllato ...

Modo Congiuntivo – **Passato**: ạbbia controllato ...; **Trapassato**: avessi controllato ...

Modo Infinito – **Presente**: controllare; **Passato**: avẹre controllato / ***Modo Participio*** – **Presente**: controllante; **Passato**: controllato / ***Modo Gerundio*** – **Presente**: controllando; **Passato**: avendo controllato / *Forma passiva*: ẹssere controllato

cọrrere

(*concọrrere, discọrrere, percọrrere, rincọrrere, scọrrere, soccọrrere*)

Modo	*Indicativo*					*Condizionale*
Tempo	**Presente**	**Passato Prossimo**	**Imperfetto**	**Passato Remoto**	**Futuro Semplice**	**Semplice**
io	corro	ho corso	correvo	corsi	correrò	correrẹi
tu	corri	hai corso	correvi	corresti	correrại	correresti
lui, lei, Lei	corre	ha corso	correva	corse	correrà	correrebbe
noi	corriamo	abbiamo corso	correvamo	corremmo	correremo	correremmo
voi	correte	avete corso	correvate	correste	correrete	correreste
loro	cọrrono	hanno corso	corrẹvano	cọrsero	correranno	correrẹbbero

Modo	*Congiuntivo*		*Imperativo*
Tempo	**Presente**	**Imperfetto**	
io	corra	corressi	- - -
tu	corra	corressi	corri
lui, lei, Lei	corra	corresse	corra
noi	corriamo	corrẹssimo	corriamo
voi	corriate	correste	correte
loro	cọrrano	corrẹssero	cọrrano

Tempi composti

Modo Indicativo – **Trapassato Prossimo**: avevo corso ...; **Trapassato Remoto**: ebbi corso ...; **Futuro Anteriore**: avrò corso ...

Modo Condizionale – **Passato**: avrẹi corso ...

Modo Congiuntivo – **Passato**: ạbbia corso ...; **Trapassato**: avessi corso ...

Modo Infinito – **Presente**: cọrrere; **Passato**: avẹre corso / ***Modo Participio*** – **Presente**: corrente; **Passato**: corso / ***Modo Gerundio*** – **Presente**: correndo; **Passato**: avendo corso / *Forma passiva*: ẹssere corso

Modo	Indicativo					Condizionale
Tempo	**Presente**	**Passato Prossimo**	**Imperfetto**	**Passato Remoto**	**Futuro Semplice**	**Semplice**
io	costruisco	ho costruito	costruivo	costruịi	costruirò	costruirẹi
tu	costruisci	hai costruito	costruivi	costruisti	costruirại	costruiresti
lui, lei, Lei	costruisce	ha costruito	costruiva	costruì	costruirà	costruirebbe
noi	costruiamo	abbiamo costruito	costruivamo	costruimmo	costruiremo	costruiremmo
voi	costruite	avete costruito	costruivate	costruiste	costruirete	costruireste
loro	costruịscono	hanno costruito	costruịvano	costruịrono	costruiranno	costruirẹbbero

Modo	Congiuntivo		Imperativo
Tempo	**Presente**	**Imperfetto**	
io	costruisca	costruissi	- - -
tu	costruisca	costruissi	costruisci
lui, lei, Lei	costruisca	costruisse	costruisca
noi	costruiamo	costruịssimo	costruiamo
voi	costruiate	costruiste	costruite
loro	costruịscano	costruịssero	costruịscano

Tempi composti

Modo Indicativo **– Trapassato Prossimo**: avevo costruito ...; **Trapassato Remoto**: ebbi costruito ...; **Futuro Anteriore**: avrò costruito ...

Modo Condizionale **– Passato**: avrẹi costruito ...

Modo Congiuntivo **– Passato**: ạbbia costruito ...; **Trapassato**: avessi costruito ...

Modo Infinito **– Presente**: costruire; **Passato**: avẹre costruito / ***Modo Participio*** **– Presente**: costruente; **Passato**: costruito / ***Modo Gerundio*** **– Presente**: costruendo; **Passato**: avendo costruito / *Forma passiva*: ẹssere costruito

Modo	Indicativo					Condizionale
Tempo	**Presente**	**Passato Prossimo**	**Imperfetto**	**Passato Remoto**	**Futuro Semplice**	**Semplice**
io	creo	ho creato	creavo	creại	creerò	creerẹi
tu	crei	hai creato	creavi	creasti	creerại	creeresti
lui, lei, Lei	crea	ha creato	creava	creò	creerà	creerebbe
noi	creiamo	abbiamo creato	creavamo	creammo	creeremo	creeremmo
voi	create	avete creato	creavate	creaste	creerete	creereste
loro	crẹano	hanno creato	creạvano	creạrono	creeranno	creerẹbbero

Modo	Congiuntivo		Imperativo
Tempo	**Presente**	**Imperfetto**	
io	crei	creassi	- - -
tu	crei	creassi	crea
lui, lei, Lei	crei	creasse	crei
noi	creiamo	creạssimo	creiamo
voi	creiate	creaste	create
loro	crẹino	creạssero	crẹino

Tempi composti

Modo Indicativo – **Trapassato Prossimo**: avevo creato ...; **Trapassato Remoto**: ebbi creato ...; **Futuro Anteriore**: avrò creato ...

Modo Condizionale – **Passato**: avrẹi creato ...

Modo Congiuntivo – **Passato**: ạbbia creato ...; **Trapassato**: avessi creato ...

Modo Infinito – **Presente**: creare; **Passato**: avẹre creato / ***Modo Participio*** – **Presente**: creante; **Passato**: creato / ***Modo Gerundio*** – **Presente**: creando; **Passato**: avendo creato / *Forma passiva*: ẹssere creato

crẹscere
(*accrẹscere*)

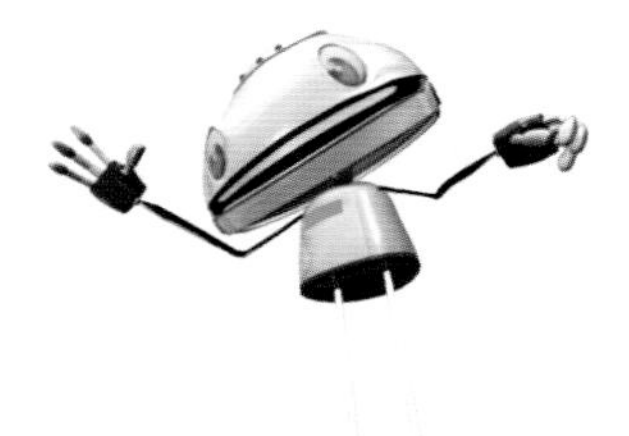

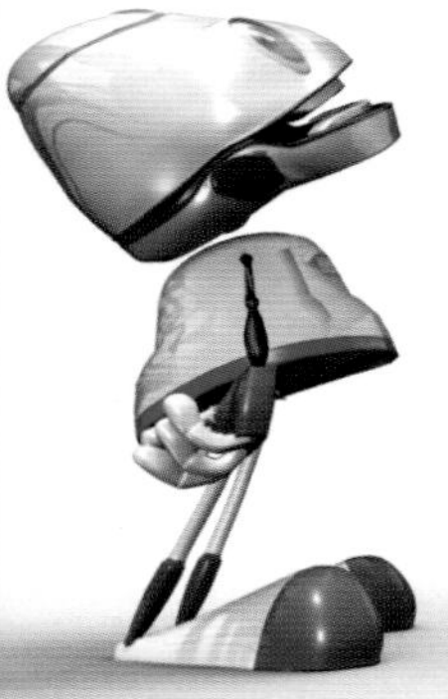

andyGARNICA

Modo	*Indicativo*					*Condizionale*
Tempo	**Presente**	**Passato Prossimo**	**Imperfetto**	**Passato Remoto**	**Futuro Semplice**	**Semplice**
io	cresco	sono cresciuto	crescevo	crebbi	crescerò	crescerẹi
tu	cresci	sei cresciuto	crescevi	crescesti	crescerại	cresceresti
lui, lei, Lei	cresce	è cresciuto	cresceva	crebbe	crescerà	crescerebbe
noi	cresciamo	siamo cresciuti	crescevamo	crescemmo	cresceremo	cresceremmo
voi	crescete	siete cresciuti	crescevate	cresceste	crescerete	crescereste
loro	crẹscono	sono cresciuti	crescẹvano	crẹbbero	cresceranno	crescerẹbbero

Modo	*Congiuntivo*		*Imperativo*
Tempo	**Presente**	**Imperfetto**	
io	cresca	crescessi	- - -
tu	cresca	crescessi	cresci
lui, lei, Lei	cresca	crescesse	cresca
noi	cresciamo	crescẹssimo	cresciamo
voi	cresciate	cresceste	crescete
loro	crẹscano	crescẹssero	crẹscano

Tempi composti

Modo Indicativo – **Trapassato Prossimo**: ero cresciuto ...; **Trapassato Remoto**: fui cresciuto ...; **Futuro Anteriore**: sarò cresciuto ...

Modo Condizionale – **Passato**: sarẹi cresciuto ...

Modo Congiuntivo – **Passato**: sia cresciuto ...; **Trapassato**: fossi cresciuto

Modo Infinito – **Presente**: crẹscere; **Passato**: ẹssere cresciuto / ***Modo Participio*** – **Presente**: crescente; **Passato**: cresciuto / ***Modo Gerundio*** – **Presente**: crescendo; **Passato**: essendo cresciuto / *Forma passiva*: ---

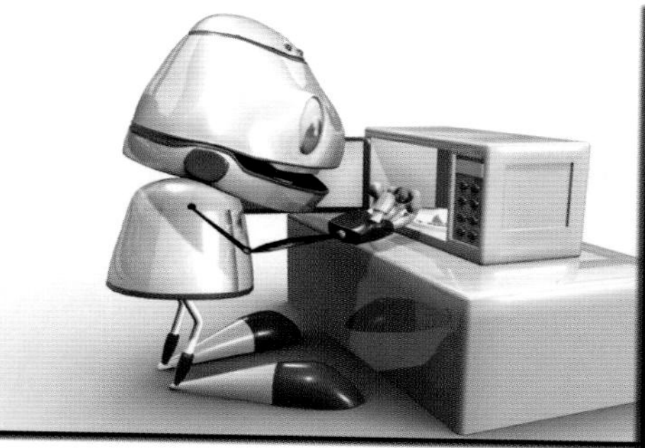

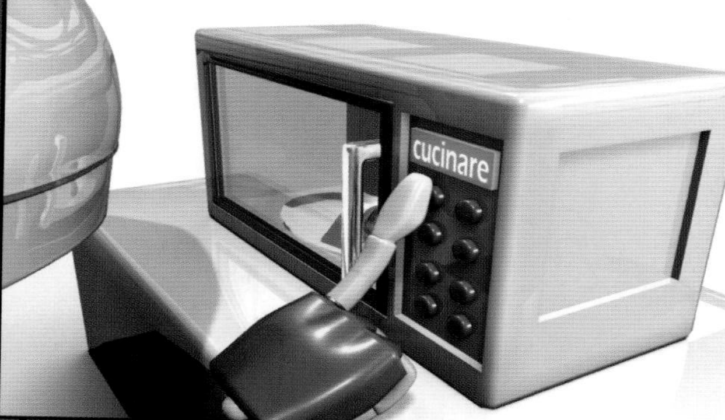

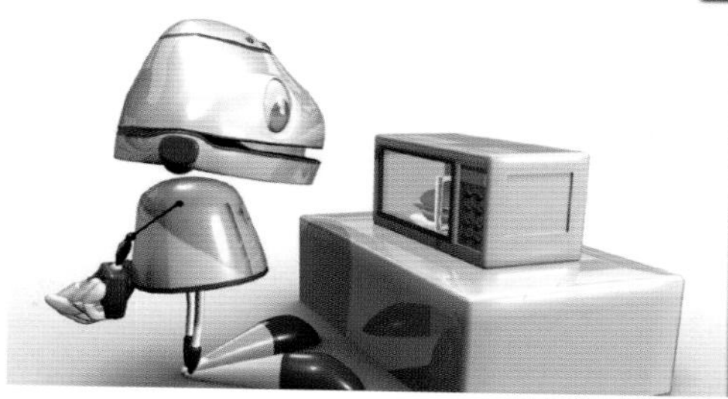

Modo	*Indicativo*					*Condizionale*
Tempo	**Presente**	**Passato Prossimo**	**Imperfetto**	**Passato Remoto**	**Futuro Semplice**	**Semplice**
io	cucino	ho cucinato	cucinavo	cucinại	cucinerò	cucinerẹi
tu	cucini	hai cucinato	cucinavi	cucinasti	cucinerại	cucineresti
lui, lei, Lei	cucina	ha cucinato	cucinava	cucinò	cucinerà	cucinerebbe
noi	cuciniamo	abbiamo cucinato	cucinavamo	cucinammo	cucineremo	cucineremmo
voi	cucinate	avete cucinato	cucinavate	cucinaste	cucinerete	cucinereste
loro	cucịnano	hanno cucinato	cucinạvano	cucinạrono	cucineranno	cucinerẹbbero

Modo	*Congiuntivo*		*Imperativo*
Tempo	**Presente**	**Imperfetto**	
io	cucini	cucinassi	- - -
tu	cucini	cucinassi	cucina
lui, lei, Lei	cucini	cucinasse	cucini
noi	cuciniamo	cucinạssimo	cuciniamo
voi	cuciniate	cucinaste	cucinate
loro	cucịnino	cucinạssero	cucịnino

Tempi composti

Modo Indicativo – **Trapassato Prossimo**: avevo cucinato ...; **Trapassato Remoto**: ebbi cucinato ...; **Futuro Anteriore**: avrò cucinato ...

Modo Condizionale – **Passato**: avrẹi cucinato ...

Modo Congiuntivo – **Passato**: ạbbia cucinato ...; **Trapassato**: avessi cucinato ...

Modo Infinito – **Presente**: cucinare; **Passato**: avẹre cucinato / ***Modo Participio*** – **Presente**: cucinante; **Passato**: cucinato / ***Modo Gerundio*** – **Presente**: cucinando; **Passato**: avendo cucinato / *Forma passiva*: ẹssere cucinato

dare

(*ridạre*)

Modo	*Indicativo*					*Condizionale*
Tempo	**Presente**	**Passato Prossimo**	**Imperfetto**	**Passato Remoto**	**Futuro Semplice**	**Semplice**
io	do	ho dato	davo	diedi	darò	darẹi
tu	dai	hai dato	davi	desti	darại	daresti
lui, lei, Lei	dà	ha dato	dava	diede	darà	darebbe
noi	diamo	abbiamo dato	davamo	demmo	daremo	daremmo
voi	date	avete dato	davate	deste	darete	dareste
loro	danno	hanno dato	dạvano	diẹdero	daranno	darẹbbero

Modo	*Congiuntivo*		*Imperativo*
Tempo	**Presente**	**Imperfetto**	
io	dia	dessi	- - -
tu	dia	dessi	da' (dai)
lui, lei, Lei	dia	desse	dia
noi	diamo	dẹssimo	diamo
voi	diate	deste	date
loro	dịano	dẹssero	dịano

Tempi composti

Modo Indicativo – **Trapassato Prossimo**: avevo dato ...; **Trapassato Remoto**: ebbi dato ...; **Futuro Anteriore**: avrò dato ...

Modo Condizionale – **Passato**: avrẹi dato ...

Modo Congiuntivo – **Passato**: ạbbia dato ...; **Trapassato**: avessi dato ...

Modo Infinito – **Presente**: dare; **Passato**: avẹre dato / ***Modo Participio*** – **Presente**: dante; **Passato**: dato / ***Modo Gerundio*** – **Presente**: dando; **Passato**: avendo dato / *Forma passiva*: ẹssere dato

decịdere

(*coincịdere, incịdere, uccịdere*)

Modo	*Indicativo*					*Condizionale*
Tempo	**Presente**	**Passato Prossimo**	**Imperfetto**	**Passato Remoto**	**Futuro Semplice**	**Semplice**
io	decido	ho deciso	decidevo	decisi	deciderò	deciderẹi
tu	decidi	hai deciso	decidevi	decidesti	deciderại	decideresti
lui, lei, Lei	decide	ha deciso	decideva	decise	deciderà	deciderebbe
noi	decidiamo	abbiamo deciso	decidevamo	decidemmo	decideremo	decideremmo
voi	decidete	avete deciso	decidevate	decideste	deciderete	decidereste
loro	decịdono	hanno deciso	decidẹvano	decịsero	decideranno	deciderẹbbero

Modo	*Congiuntivo*		*Imperativo*
Tempo	**Presente**	**Imperfetto**	
io	decida	decidessi	- - -
tu	decida	decidessi	decidi
lui, lei, Lei	decida	decidesse	decida
noi	decidiamo	decidẹssimo	decidiamo
voi	decidiate	decideste	decidete
loro	decịdano	decidẹssero	decịdano

Tempi composti

Modo Indicativo – **Trapassato Prossimo**: avevo deciso ...; **Trapassato Remoto**: ebbi deciso ...; **Futuro Anteriore**: avrò deciso ...

Modo Condizionale – **Passato**: avrẹi deciso ...

Modo Congiuntivo – **Passato**: ạbbia deciso ...; **Trapassato**: avessi deciso ...

Modo Infinito – **Presente**: decịdere; **Passato**: avẹre deciso / ***Modo Participio*** – **Presente**: decidente; **Passato**: deciso / ***Modo Gerundio*** – **Presente**: decidendo; **Passato**: avendo deciso / *Forma passiva*: ẹssere deciso

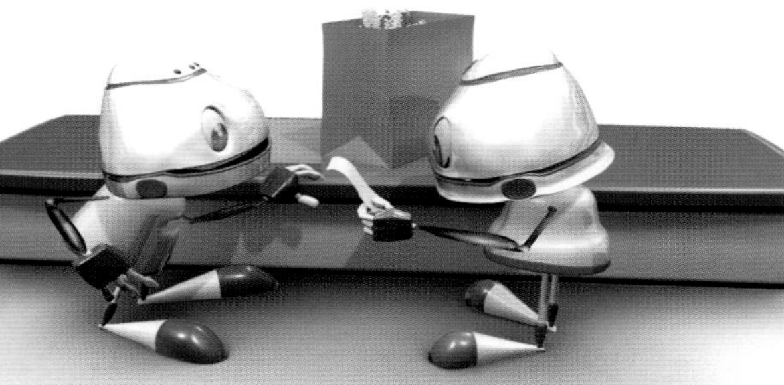

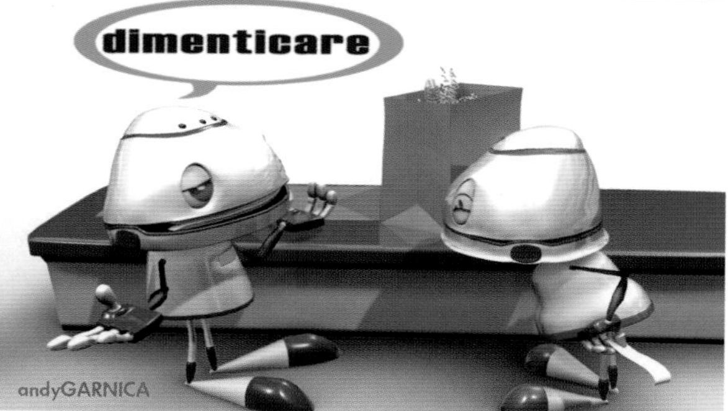

Modo	*Indicativo*					*Condizionale*
Tempo	**Presente**	**Passato Prossimo**	**Imperfetto**	**Passato Remoto**	**Futuro Semplice**	**Semplice**
io	dimẹntico	ho dimenticato	dimenticavo	dimenticại	dimenticherò	dimenticherẹi
tu	dimẹntichi	hai dimenticato	dimenticavi	dimenticasti	dimenticherại	dimenticheresti
lui, lei, Lei	dimẹntica	ha dimenticato	dimenticava	dimenticò	dimenticherà	dimentiche-rebbe
noi	dimentichiamo	abbiamo dimenticato	dimenticavamo	dimenticammo	dimenticheremo	dimenti-cheremmo
voi	dimenticate	avete dimenticato	dimenticavate	dimenticaste	dimenticherete	dimentichereste
loro	dimẹnticano	hanno dimenticato	dimenticạvano	dimenticạrono	dimenticheranno	dimentiche-rẹbbero

Modo	*Congiuntivo*		*Imperativo*
Tempo	**Presente**	**Imperfetto**	
io	dimẹntichi	dimenticassi	- - -
tu	dimẹntichi	dimenticassi	dimẹntica
lui, lei, Lei	dimẹntichi	dimenticasse	dimẹntichi
noi	dimentichiamo	dimenticạssimo	dimentichiamo
voi	dimentichiate	dimenticaste	dimenticate
loro	dimẹntichino	dimenticạssero	dimẹntichino

Tempi composti

***Modo Indicativo* – Trapassato Prossimo**: avevo dimenticato ...; **Trapassato Remoto**: ebbi dimenticato ...; **Futuro Anteriore**: avrò dimenticato ...

***Modo Condizionale* – Passato**: avrẹi dimenticato ...

***Modo Congiuntivo* – Passato**: ạbbia dimenticato ...; **Trapassato**: avessi dimenticato ...

***Modo Infinito* – Presente**: dimenticare; **Passato**: avẹre dimenticato / ***Modo Participio* – Presente**: dimenticante; **Passato**: dimenticato / ***Modo Gerundio* – Presente**: dimenticando; **Passato**: avendo dimenticato / *Forma passiva*: ẹssere dimenticato

Modo	Indicativo					Condizionale
Tempo	Presente	Passato Prossimo	Imperfetto	Passato Remoto	Futuro Semplice	Semplice
io	dipingo	ho dipinto	dipingevo	dipinsi	dipingerò	dipingerẹi
tu	dipingi	hai dipinto	dipingevi	dipingesti	dipingerại	dipingeresti
lui, lei, Lei	dipinge	ha dipinto	dipingeva	dipinse	dipingerà	dipingerebbe
noi	dipingiamo	abbiamo dipinto	dipingevamo	dipingemmo	dipingeremo	dipingeremmo
voi	dipingete	avete dipinto	dipingevate	dipingeste	dipingerete	dipingereste
loro	dipịngono	hanno dipinto	dipingẹvano	dipịnsero	dipingeranno	dipingerẹbbero

Modo	Congiuntivo		Imperativo
Tempo	Presente	Imperfetto	
io	dipinga	dipingessi	- - -
tu	dipinga	dipingessi	dipingi
lui, lei, Lei	dipinga	dipingesse	dipinga
noi	dipingiamo	dipingẹssimo	dipingiamo
voi	dipingiate	dipingeste	dipingete
loro	dipịngano	dipingẹssero	dipịngano

Tempi composti

***Modo Indicativo* – Trapassato Prossimo**: avevo dipinto ...; **Trapassato Remoto**: ebbi dipinto ...; **Futuro Anteriore**: avrò dipinto ...

***Modo Condizionale* – Passato**: avrẹi dipinto ...

***Modo Congiuntivo* – Passato**: ạbbia dipinto ...; **Trapassato**: avessi dipinto ...

***Modo Infinito* – Presente**: dipịngere; **Passato**: avẹre dipinto / ***Modo Participio* – Presente**: dipingente; **Passato**: dipinto / ***Modo Gerundio* – Presente**: dipingendo; **Passato**: avendo dipinto / *Forma passiva*: ẹssere dipinto

Modo	*Indicativo*					*Condizionale*
Tempo	**Presente**	**Passato Prossimo**	**Imperfetto**	**Passato Remoto**	**Futuro Semplice**	**Semplice**
io	dirigo	ho diretto	dirigevo	diressi	dirigerò	dirigerẹi
tu	dirigi	hai diretto	dirigevi	dirigesti	dirigerại	dirigeresti
lui, lei, Lei	dirige	ha diretto	dirigeva	diresse	dirigerà	dirigerebbe
noi	dirigiamo	abbiamo diretto	dirigevamo	dirigemmo	dirigeremo	dirigeremmo
voi	dirigete	avete diretto	dirigevate	dirigeste	dirigerete	dirigereste
loro	dirịgono	hanno diretto	dirigẹvano	dirẹssero	dirigeranno	dirigerẹbbero

Modo	*Congiuntivo*		*Imperativo*
Tempo	**Presente**	**Imperfetto**	
io	diriga	dirigessi	- - -
tu	diriga	dirigessi	dirigi
lui, lei, Lei	diriga	dirigesse	diriga
noi	dirigiamo	dirigẹssimo	dirigiamo
voi	dirigiate	dirigeste	dirigete
loro	dirịgano	dirigẹssero	dirịgano

Tempi composti

Modo Indicativo – **Trapassato Prossimo**: avevo diretto ...; **Trapassato Remoto**: ebbi diretto ...; **Futuro Anteriore**: avrò diretto ...

Modo Condizionale – **Passato**: avrẹi diretto ...

Modo Congiuntivo – **Passato**: ạbbia diretto ...; **Trapassato**: avessi diretto ...

Modo Infinito – **Presente**: dirịgere; **Passato**: avẹre diretto / ***Modo Participio*** – **Presente**: dirigente; **Passato**: diretto / ***Modo Gerundio*** – **Presente**: dirigendo; **Passato**: avendo diretto / *Forma passiva*: ẹssere diretto

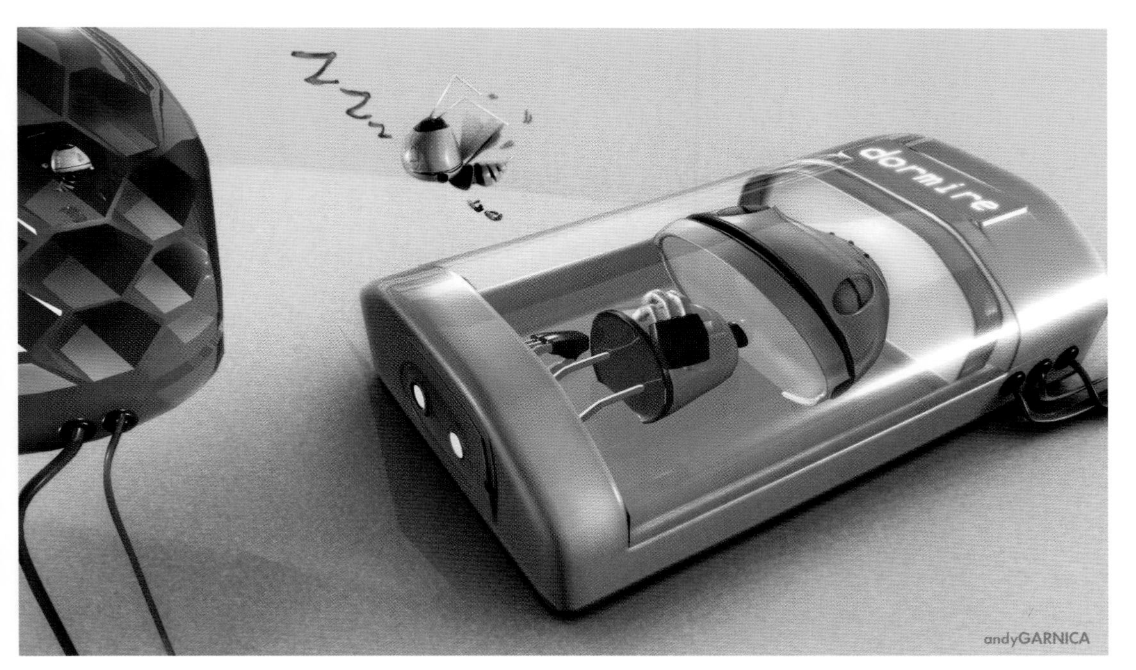

Modo	Indicativo					Condizionale
Tempo	**Presente**	**Passato Prossimo**	**Imperfetto**	**Passato Remoto**	**Futuro Semplice**	**Semplice**
io	dormo	ho dormito	dormivo	dormịi	dormirò	dormirẹi
tu	dormi	hai dormito	dormivi	dormisti	dormirại	dormiresti
lui, lei, Lei	dorme	ha dormito	dormiva	dormì	dormirà	dormirebbe
noi	dormiamo	abbiamo dormito	dormivamo	dormimmo	dormiremo	dormiremmo
voi	dormite	avete dormito	dormivate	dormiste	dormirete	dormireste
loro	dọrmono	hanno dormito	dormịvano	dormịrono	dormiranno	dormirẹbbero

Modo	Congiuntivo		Imperativo
Tempo	**Presente**	**Imperfetto**	
io	dorma	dormissi	- - -
tu	dorma	dormissi	dormi
lui, lei, Lei	dorma	dormisse	dorma
noi	dormiamo	dormịssimo	dormiamo
voi	dormiate	dormiste	dormite
loro	dọrmano	dormịssero	dọrmano

Tempi composti

Modo Indicativo **– Trapassato Prossimo**: avevo dormito ...; **Trapassato Remoto**: ebbi dormito ...; **Futuro Anteriore**: avrò dormito ...

Modo Condizionale **– Passato**: avrẹi dormito ...

Modo Congiuntivo **– Passato**: ạbbia dormito ...; **Trapassato**: avessi dormito ...

Modo Infinito **– Presente**: dormire; **Passato**: avẹre dormito / ***Modo Participio*** **– Presente**: dormiente (dormente); **Passato**: dormito / ***Modo Gerundio*** **– Presente**: dormendo; **Passato**: avendo dormito / *Forma passiva*: ---

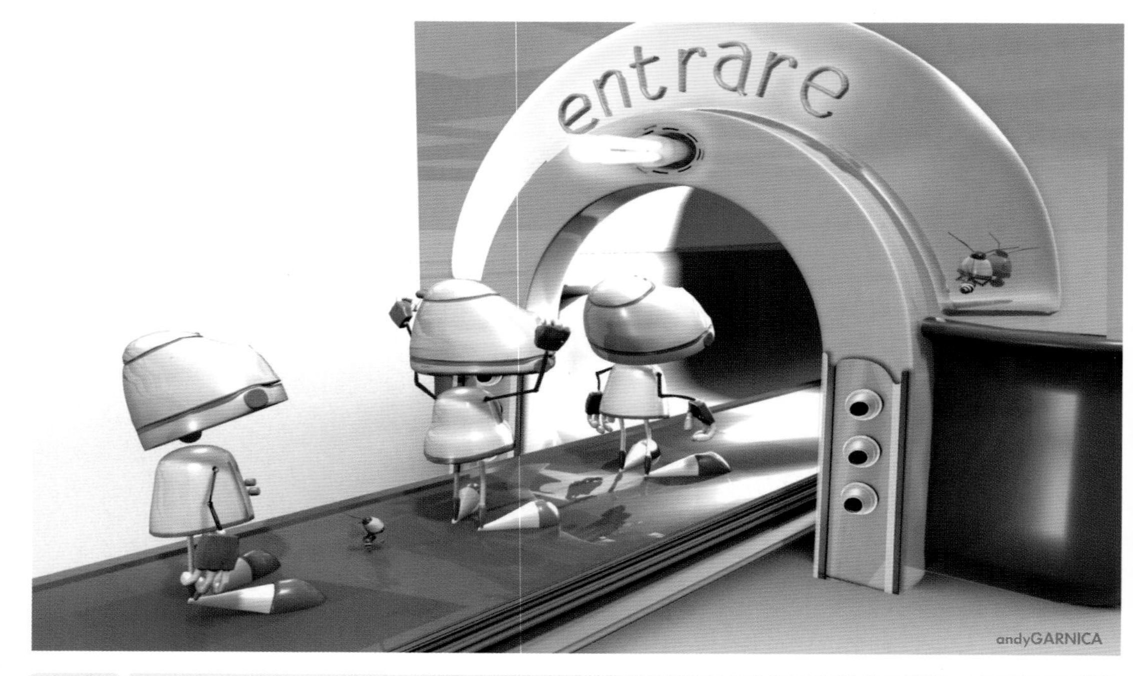

Modo	Indicativo					Condizionale
Tempo	**Presente**	**Passato Prossimo**	**Imperfetto**	**Passato Remoto**	**Futuro Semplice**	**Semplice**
io	entro	sono entrato	entravo	entrại	entrerò	entrerẹi
tu	entri	sei entrato	entravi	entrasti	entrerại	entreresti
lui, lei, Lei	entra	è entrato	entrava	entrò	entrerà	entrerebbe
noi	entriamo	siamo entrati	entravamo	entrammo	entreremo	entreremmo
voi	entrate	siete entrati	entravate	entraste	entrerete	entrereste
loro	ẹntrano	sono entrati	entrạvano	entrạrono	entreranno	entrerẹbbero

Modo	Congiuntivo		Imperativo
Tempo	**Presente**	**Imperfetto**	
io	entri	entrassi	- - -
tu	entri	entrassi	entra
lui, lei, Lei	entri	entrasse	entri
noi	entriamo	entrạssimo	entriamo
voi	entriate	entraste	entrate
loro	ẹntrino	entrạssero	ẹntrino

Tempi composti

Modo Indicativo – **Trapassato Prossimo**: ero entrato ...; **Trapassato Remoto**: fui entrato ...; **Futuro Anteriore**: sarò entrato ...

Modo Condizionale – **Passato**: sarẹi entrato ...

Modo Congiuntivo – **Passato**: sia entrato ...; **Trapassato**: fossi entrato ...

Modo Infinito – **Presente**: entrare; **Passato**: ẹssere entrato / ***Modo Participio*** – **Presente**: entrante; **Passato**: entrato / ***Modo Gerundio*** – **Presente**: entrando; **Passato**: essendo entrato / *Forma passiva*: ---

Modo	*Indicativo*					*Condizionale*
Tempo	**Presente**	**Passato Prossimo**	**Imperfetto**	**Passato Remoto**	**Futuro Semplice**	**Semplice**
io	sono	sono stato	ero	fui	sarò	sarẹi
tu	sei	sei stato	eri	fosti	sarại	saresti
lui, lei, Lei	è	è stato	era	fu	sarà	sarebbe
noi	siamo	siamo stati	eravamo	fummo	saremo	saremmo
voi	siete	siete stati	eravate	foste	sarete	sareste
loro	sono	sono stati	ẹrano	fụrono	saranno	sarẹbbero

Modo	*Congiuntivo*		*Imperativo*
Tempo	**Presente**	**Imperfetto**	
io	sia	fossi	- - -
tu	sia	fossi	sii
lui, lei, Lei	sia	fosse	sia
noi	siamo	fọssimo	siamo
voi	siate	foste	siate
loro	sịano	fọssero	sịano

Tempi composti

Modo Indicativo – **Trapassato Prossimo**: ero stato ...; **Trapassato Remoto**: fui stato ...; **Futuro Anteriore**: sarò stato ...

Modo Condizionale – **Passato**: sarẹi stato ...

Modo Congiuntivo – **Passato**: sia stato ...; **Trapassato**: fossi stato ...

Modo Infinito – **Presente**: ẹssere; **Passato**: ẹssere stato / ***Modo Participio*** – **Presente**: essente; **Passato**: stato / ***Modo Gerundio*** – **Presente**: essendo; **Passato**: essendo stato / *Forma passiva*: ---

fare

(*contraffạre, disfạre, soddisfạre*)

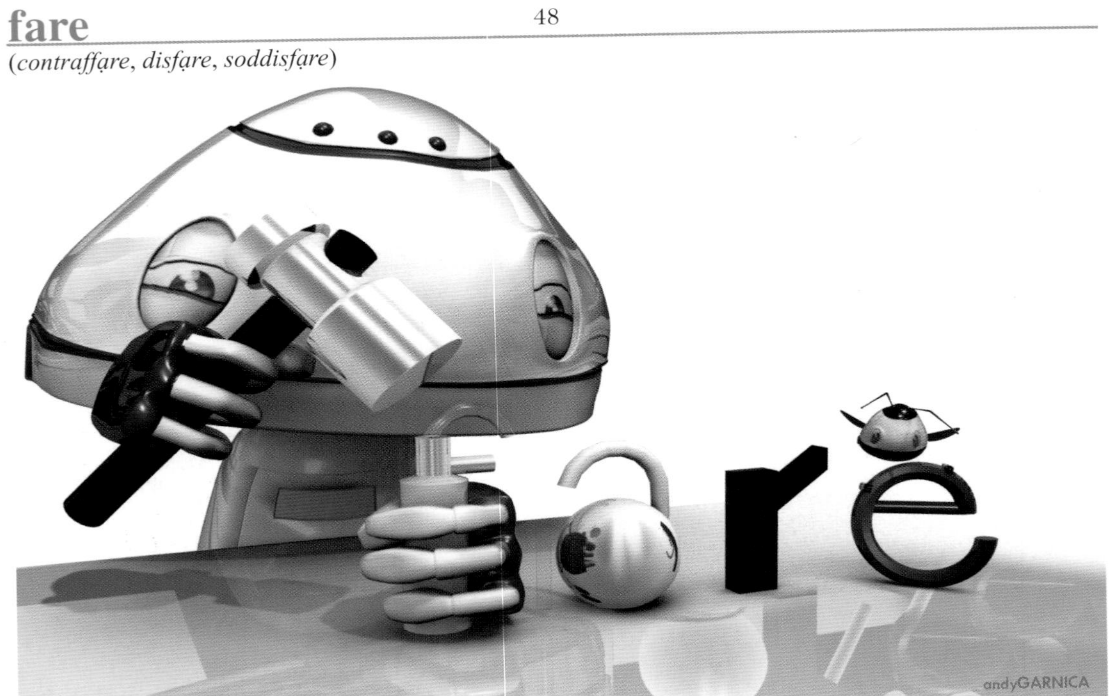

Modo	*Indicativo*					*Condizionale*
Tempo	**Presente**	**Passato Prossimo**	**Imperfetto**	**Passato Remoto**	**Futuro Semplice**	**Semplice**
io	faccio	ho fatto	facevo	feci	farò	farẹi
tu	fai	hai fatto	facevi	facesti	farại	faresti
lui, lei, Lei	fa	ha fatto	faceva	fece	farà	farebbe
noi	facciamo	abbiamo fatto	facevamo	facemmo	faremo	faremmo
voi	fate	avete fatto	facevate	faceste	farete	fareste
loro	fanno	hanno fatto	facẹvano	fẹcero	faranno	farẹbbero

Modo	*Congiuntivo*		*Imperativo*
Tempo	**Presente**	**Imperfetto**	
io	faccia	facessi	- - -
tu	faccia	facessi	fa' (fai)
lui, lei, Lei	faccia	facesse	faccia
noi	facciamo	facẹssimo	facciamo
voi	facciate	faceste	fate
loro	fạcciano	facẹssero	fạcciano

Tempi composti

Modo Indicativo – **Trapassato Prossimo**: avevo fatto ...; **Trapassato Remoto**: ebbi fatto ...; **Futuro Anteriore**: avrò fatto ...

Modo Condizionale – **Passato**: avrẹi fatto ...

Modo Congiuntivo – **Passato**: ạbbia fatto ...; **Trapassato**: avessi fatto ...

Modo Infinito – **Presente**: fare; **Passato**: avẹre fatto / ***Modo Participio*** – **Presente**: facente; **Passato**: fatto / ***Modo Gerundio*** – **Presente**: facendo; **Passato**: avendo fatto / *Forma passiva*: ẹssere fatto

Modo	Indicativo					Condizionale
Tempo	Presente	Passato Prossimo	Imperfetto	Passato Remoto	Futuro Semplice	Semplice
io	mi fermo	mi sono fermato	mi fermavo	mi fermại	mi fermerò	mi fermerẹi
tu	ti fermi	ti sei fermato	ti fermavi	ti fermasti	ti fermerại	ti fermeresti
lui, lei, Lei	si ferma	si è fermato	si fermava	si fermò	si fermerà	si fermerebbe
noi	ci fermiamo	ci siamo fermati	ci fermavamo	ci fermammo	ci fermeremo	ci fermeremmo
voi	vi fermate	vi siete fermati	vi fermavate	vi fermaste	vi fermerete	vi fermereste
loro	si fẹrmano	si sono fermati	si fermạvano	si fermạrono	si fermeranno	si fermerẹbbero

Modo	Congiuntivo		Imperativo
Tempo	Presente	Imperfetto	
io	mi fermi	mi fermassi	- - -
tu	ti fermi	ti fermassi	fẹrmati
lui, lei, Lei	si fermi	si fermasse	si fermi
noi	ci fermiamo	ci fermạssimo	fermiạmoci
voi	vi fermiate	vi fermaste	fermạtevi
loro	si fẹrmino	si fermạssero	si fẹrmino

Tempi composti

Modo Indicativo – **Trapassato Prossimo**: mi ero fermato ...; **Trapassato Remoto**: mi fui fermato ...; **Futuro Anteriore**: mi sarò fermato ...

Modo Condizionale – **Passato**: mi sarẹi fermato ...

Modo Congiuntivo – **Passato**: mi sia fermato ...; **Trapassato**: mi fossi fermato ...

Modo Infinito – **Presente**: fermarsi; **Passato**: ẹssersi fermato / ***Modo Participio*** – **Presente**: fermạntesi; **Passato**: fermạtosi / ***Modo Gerundio*** – **Presente**: fermạndosi; **Passato**: essẹndosi fermato / *Forma passiva*: ---

Modo	Indicativo					Condizionale
Tempo	**Presente**	**Passato Prossimo**	**Imperfetto**	**Passato Remoto**	**Futuro Semplice**	**Semplice**
io	finisco	ho finito	finivo	finịi	finirò	finirẹi
tu	finisci	hai finito	finivi	finisti	finirại	finiresti
lui, lei, Lei	finisce	ha finito	finiva	finì	finirà	finirebbe
noi	finiamo	abbiamo finito	finivamo	finimmo	finiremo	finiremmo
voi	finite	avete finito	finivate	finiste	finirete	finireste
loro	finịscono	hanno finito	finịvano	finịrono	finiranno	finirẹbbero

Modo	Congiuntivo		Imperativo
Tempo	**Presente**	**Imperfetto**	
io	finisca	finissi	- - -
tu	finisca	finissi	finisci
lui, lei, Lei	finisca	finisse	finisca
noi	finiamo	finịssimo	finiamo
voi	finiate	finiste	finite
loro	finịscano	finịssero	finịscano

Tempi composti

Modo Indicativo – **Trapassato Prossimo**: avevo finito ...; **Trapassato Remoto**: ebbi finito ...; **Futuro Anteriore**: avrò finito ...

Modo Condizionale – **Passato**: avrẹi finito ...

Modo Congiuntivo – **Passato**: ạbbia finito ...; **Trapassato**: avessi finito ...

Modo Infinito – **Presente**: finire; **Passato**: avẹre finito / ***Modo Participio*** – **Presente**: finente; **Passato**: finito / ***Modo Gerundio*** – **Presente**: finendo; **Passato**: avendo finito / *Forma passiva*: ẹssere finito

Modo	*Indicativo*					*Condizionale*
Tempo	**Presente**	**Passato Prossimo**	**Imperfetto**	**Passato Remoto**	**Futuro Semplice**	**Semplice**
io	gioco	ho giocato	giocavo	giocại	giocherò	giocherẹi
tu	giochi	hai giocato	giocavi	giocasti	giocherại	giocheresti
lui, lei, Lei	gioca	ha giocato	giocava	giocò	giocherà	giocherebbe
noi	giochiamo	abbiamo giocato	giocavamo	giocammo	giocheremo	giocheremmo
voi	giocate	avete giocato	giocavate	giocaste	giocherete	giochereste
loro	giọcano	hanno giocato	giocạvano	giocạrono	giocheranno	giocherẹbbero

Modo	*Congiuntivo*		*Imperativo*
Tempo	**Presente**	**Imperfetto**	
io	giochi	giocassi	- - -
tu	giochi	giocassi	gioca
lui, lei, Lei	giochi	giocasse	giochi
noi	giochiamo	giocạssimo	giochiamo
voi	giochiate	giocaste	giocate
loro	giọchino	giocạssero	giọchino

Tempi composti

Modo Indicativo – **Trapassato Prossimo**: avevo giocato ...; **Trapassato Remoto**: ebbi giocato ...; **Futuro Anteriore**: avrò giocato ...

Modo Condizionale – **Passato**: avrẹi giocato ...

Modo Congiuntivo – **Passato**: ạbbia giocato ...; **Trapassato**: avessi giocato ...

Modo Infinito – **Presente**: giocare; **Passato**: avẹre giocato / ***Modo Participio*** – **Presente**: giocante; **Passato**: giocato / ***Modo Gerundio*** – **Presente**: giocando; **Passato**: avendo giocato / *Forma passiva*: ẹssere giocato

Modo	Indicativo					Condizionale
Tempo	**Presente**	**Passato Prossimo**	**Imperfetto**	**Passato Remoto**	**Futuro Semplice**	**Semplice**
io	giro	ho girato	giravo	girại	girerò	girerẹi
tu	giri	hai girato	giravi	girasti	girerại	gireresti
lui, lei, Lei	gira	ha girato	girava	girò	girerà	girerebbe
noi	giriamo	abbiamo girato	giravamo	girammo	gireremo	gireremmo
voi	girate	avete girato	giravate	giraste	girerete	gireReste
loro	gịrano	hanno girato	girạvano	girạrono	gireranno	girerẹbbero

Modo	Congiuntivo		Imperativo
Tempo	**Presente**	**Imperfetto**	
io	giri	girassi	- - -
tu	giri	girassi	gira
lui, lei, Lei	giri	girasse	giri
noi	giriamo	girạssimo	giriamo
voi	giriate	giraste	girate
loro	gịrino	girạssero	gịrino

Tempi composti

Modo Indicativo – **Trapassato Prossimo**: avevo girato ...; **Trapassato Remoto**: ebbi girato ...; **Futuro Anteriore**: avrò girato ...

Modo Condizionale – **Passato**: avrẹi girato ...

Modo Congiuntivo – **Passato**: ạbbia girato ...; **Trapassato**: avessi girato ...

Modo Infinito – **Presente**: girare; **Passato**: avẹre girato / *Modo Participio* – **Presente**: girante; **Passato**: girato / *Modo Gerundio* – **Presente**: girando; **Passato**: avendo girato / *Forma passiva*: ẹssere girato

Modo	*Indicativo*					*Condizionale*
Tempo	**Presente**	**Passato Prossimo**	**Imperfetto**	**Passato Remoto**	**Futuro Semplice**	**Semplice**
io	grido	ho gridato	gridavo	gridại	griderò	griderẹi
tu	gridi	hai gridato	gridavi	gridasti	griderại	grideresti
lui, lei, Lei	grida	ha gridato	gridava	gridò	griderà	griderebbe
noi	gridiamo	abbiamo gridato	gridavamo	gridammo	grideremo	grideremmo
voi	gridate	avete gridato	gridavate	gridaste	griderete	gridereste
loro	grịdano	hanno gridato	gridạvano	gridạrono	grideranno	griderẹbbero

Modo	*Congiuntivo*		*Imperativo*
Tempo	**Presente**	**Imperfetto**	
io	gridi	gridassi	- - -
tu	gridi	gridassi	grida
lui, lei, Lei	gridi	gridasse	gridi
noi	gridiamo	gridạssimo	gridiamo
voi	gridiate	gridaste	gridate
loro	grịdino	gridạssero	grịdino

Tempi composti

Modo Indicativo – **Trapassato Prossimo**: avevo gridato ...; **Trapassato Remoto**: ebbi gridato ...; **Futuro Anteriore**: avrò gridato ...

Modo Condizionale – **Passato**: avrẹi gridato ...

Modo Congiuntivo – **Passato**: ạbbia gridato ...; **Trapassato**: avessi gridato ...

Modo Infinito – **Presente**: gridare; **Passato**: avẹre gridato / ***Modo Participio*** – **Presente**: gridante; **Passato**: gridato / ***Modo Gerundio*** – **Presente**: gridando; **Passato**: avendo gridato / *Forma passiva*: ẹssere gridato

Modo	Indicativo					Condizionale
Tempo	Presente	Passato Prossimo	Imperfetto	Passato Remoto	Futuro Semplice	Semplice
io	guardo	ho guardato	guardavo	guardại	guarderò	guarderẹi
tu	guardi	hai guardato	guardavi	guardasti	guarderại	guarderesti
lui, lei, Lei	guarda	ha guardato	guardava	guardò	guarderà	guarderebbe
noi	guardiamo	abbiamo guardato	guardavamo	guardammo	guarderemo	guarderemmo
voi	guardate	avete guardato	guardavate	guardaste	guarderete	guardereste
loro	guạrdano	hanno guardato	guardạvano	guardạrono	guarderanno	guarderẹbbero

Modo	Congiuntivo		Imperativo
Tempo	Presente	Imperfetto	
io	guardi	guardassi	- - -
tu	guardi	guardassi	guarda
lui, lei, Lei	guardi	guardasse	guardi
noi	guardiamo	guardạssimo	guardiamo
voi	guardiate	guardaste	guardate
loro	guạrdino	guardạssero	guạrdino

Tempi composti

Modo Indicativo – **Trapassato Prossimo**: avevo guardato ...; **Trapassato Remoto**: ebbi guardato ...; **Futuro Anteriore**: avrò guardato ...

Modo Condizionale – **Passato**: avrẹi guardato ...

Modo Congiuntivo – **Passato**: ạbbia guardato ...; **Trapassato**: avessi guardato ...

Modo Infinito – **Presente**: guardare; **Passato**: avẹre guardato / ***Modo Participio*** – **Presente**: guardante; **Passato**: guardato / ***Modo Gerundio*** – **Presente**: guardando; **Passato**: avendo guardato / *Forma passiva*: ẹssere guardato

Modo	Indicativo					Condizionale
Tempo	**Presente**	**Passato Prossimo**	**Imperfetto**	**Passato Remoto**	**Futuro Semplice**	**Semplice**
io	guido	ho guidato	guidavo	guidại	guiderò	guiderẹi
tu	guidi	hai guidato	guidavi	guidasti	guiderại	guideresti
lui, lei, Lei	guida	ha guidato	guidava	guidò	guiderà	guiderebbe
noi	guidiamo	abbiamo guidato	guidavamo	guidammo	guideremo	guideremmo
voi	guidate	avete guidato	guidavate	guidaste	guiderete	guidereste
loro	guịdano	hanno guidato	guidạvano	guidạrono	guideranno	guiderẹbbero

Modo	Congiuntivo		Imperativo
Tempo	**Presente**	**Imperfetto**	
io	guidi	guidassi	- - -
tu	guidi	guidassi	guida
lui, lei, Lei	guidi	guidasse	guidi
noi	guidiamo	guidạssimo	guidiamo
voi	guidiate	guidaste	guidate
loro	guịdino	guidạssero	guịdino

Tempi composti

Modo Indicativo **– Trapassato Prossimo**: avevo guidato ...; **Trapassato Remoto**: ebbi guidato ...; **Futuro Anteriore**: avrò guidato ...

Modo Condizionale **– Passato**: avrẹi guidato ...

Modo Congiuntivo **– Passato**: ạbbia guidato ...; **Trapassato**: avessi guidato ...

Modo Infinito **– Presente**: guidare; **Passato**: avẹre guidato / ***Modo Participio*** **– Presente**: guidante; **Passato**: guidato / ***Modo Gerundio*** **– Presente**: guidando; **Passato**: avendo guidato / *Forma passiva*: ẹssere guidato

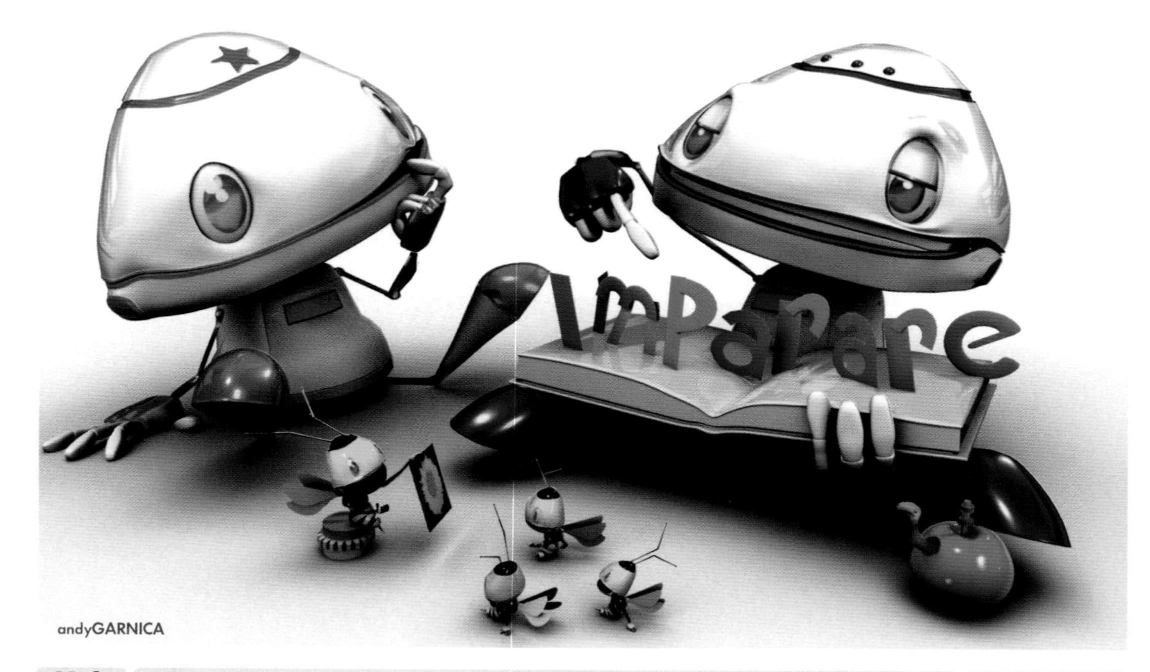

Modo	Indicativo					Condizionale
Tempo	**Presente**	**Passato Prossimo**	**Imperfetto**	**Passato Remoto**	**Futuro Semplice**	**Semplice**
io	imparo	ho imparato	imparavo	imparại	imparerò	imparerẹi
tu	impari	hai imparato	imparavi	imparasti	imparerại	impareresti
lui, lei, Lei	impara	ha imparato	imparava	imparò	imparerà	imparerebbe
noi	impariamo	abbiamo imparato	imparavamo	imparammo	impareremo	impareremmo
voi	imparate	avete imparato	imparavate	imparaste	imparerete	imparereste
loro	impạrano	hanno imparato	imparạvano	imparạrono	impareranno	imparerẹbbero

Modo	Congiuntivo		Imperativo
Tempo	**Presente**	**Imperfetto**	
io	impari	imparassi	- - -
tu	impari	imparassi	impara
lui, lei, Lei	impari	imparasse	impari
noi	impariamo	imparạssimo	impariamo
voi	impariate	imparaste	imparate
loro	impạrino	imparạssero	impạrino

Tempi composti

Modo Indicativo – **Trapassato Prossimo**: avevo imparato ...; **Trapassato Remoto**: ebbi imparato ...; **Futuro Anteriore**: avrò imparato ...

Modo Condizionale – **Passato**: avrẹi imparato ...

Modo Congiuntivo – **Passato**: ạbbia imparato ...; **Trapassato**: avessi imparato ...

Modo Infinito – **Presente**: imparare; **Passato**: avẹre imparato / ***Modo Participio*** – **Presente**: imparante; **Passato**: imparato / ***Modo Gerundio*** – **Presente**: imparando; **Passato**: avendo imparato / *Forma passiva*: ẹssere imparato

Modo	Indicativo					Condizionale
Tempo	**Presente**	**Passato Prossimo**	**Imperfetto**	**Passato Remoto**	**Futuro Semplice**	**Semplice**
io	inciampo	sono inciampato	inciampavo	inciampại	inciamperò	inciamperẹi
tu	inciampi	sei inciampato	inciampavi	inciampasti	inciamperại	inciamperesti
lui, lei, Lei	inciampa	è inciampato	inciampava	inciampò	inciamperà	inciamperebbe
noi	inciampiamo	siamo inciampati	inciampavamo	inciampammo	inciamperemo	inciamperem-mo
voi	inciampate	siete inciampati	inciampavate	inciampaste	inciamperete	inciampereste
loro	inciạmpano	sono inciampati	inciampạvano	inciampạrono	inciamperanno	inciamperẹb-bero

Modo	Congiuntivo		Imperativo
Tempo	**Presente**	**Imperfetto**	
io	inciampi	inciampassi	- - -
tu	inciampi	inciampassi	inciampa
lui, lei, Lei	inciampi	inciampasse	inciampi
noi	inciampiamo	inciampạssimo	inciampiamo
voi	inciampiate	inciampaste	inciampate
loro	inciạmpino	inciampạssero	inciạmpino

Tempi composti

Modo Indicativo – **Trapassato Prossimo**: ero inciampato ...; **Trapassato Remoto**: fui inciampato ...; **Futuro Anteriore**: sarò inciampato ...

Modo Condizionale – **Passato**: sarẹi inciampato ...

Modo Congiuntivo – **Passato**: sia inciampato ...; **Trapassato**: fossi inciampato ...

Modo Infinito – **Presente**: inciampare; **Passato**: ẹssere inciampato / ***Modo Participio*** – **Presente**: inciampante; **Passato**: inciampato / ***Modo Gerundio*** – **Presente**: inciampando; **Passato**: essendo inciampato / *Forma passiva*: ---

Modo	Indicativo					Condizionale
Tempo	**Presente**	**Passato Prossimo**	**Imperfetto**	**Passato Remoto**	**Futuro Semplice**	**Semplice**
io	inizio	ho iniziato	iniziavo	iniziại	inizierò	inizierẹi
tu	inizi	hai iniziato	iniziavi	iniziasti	inizierại	inizieresti
lui, lei, Lei	inizia	ha iniziato	iniziava	iniziò	inizierà	inizierebbe
noi	iniziamo	abbiamo iniziato	iniziavamo	iniziammo	inizieremo	inizieremmo
voi	iniziate	avete iniziato	iniziavate	iniziaste	inizierete	iniziereste
loro	inịziano	hanno iniziato	iniziạvano	iniziạrono	inizieranno	inizierẹbbero

Modo	Congiuntivo		Imperativo
Tempo	**Presente**	**Imperfetto**	
io	inizi	iniziassi	- - -
tu	inizi	iniziassi	inizia
lui, lei, Lei	inizi	iniziasse	inizi
noi	iniziamo	iniziạssimo	iniziamo
voi	iniziate	iniziaste	iniziate
loro	inịzino	iniziạssero	inịzino

Tempi composti

Modo Indicativo – **Trapassato Prossimo**: avevo iniziato ...; **Trapassato Remoto**: ebbi iniziato ...; **Futuro Anteriore**: avrò iniziato ...

Modo Condizionale – **Passato**: avrẹi iniziato ...

Modo Congiuntivo – **Passato**: ạbbia iniziato ...; **Trapassato**: avessi iniziato ...

Modo Infinito – **Presente**: iniziare; **Passato**: avẹre iniziato / ***Modo Participio*** – **Presente**: iniziante; **Passato**: iniziato / ***Modo Gerundio*** – **Presente**: iniziando; **Passato**: avendo iniziato / *Forma passiva*: ẹssere iniziato

andyGARNICA

Modo	*Indicativo*					*Condizionale*
Tempo	**Presente**	**Passato Prossimo**	**Imperfetto**	**Passato Remoto**	**Futuro Semplice**	**Semplice**
io	mi lavo	mi sono lavato	mi lavavo	mi lavại	mi laverò	mi laverẹi
tu	ti lavi	ti sei lavato	ti lavavi	ti lavasti	ti laverại	ti laveresti
lui, lei, Lei	si lava	si è lavato	si lavava	si lavò	si laverà	si laverebbe
noi	ci laviamo	ci siamo lavati	ci lavavamo	ci lavammo	ci laveremo	ci laveremmo
voi	vi lavate	vi siete lavati	vi lavavate	vi lavaste	vi laverete	vi lavereste
loro	si lạvano	si sono lavati	si lavạvano	si lavạrono	si laveranno	si laverẹbbero

Modo	*Congiuntivo*		*Imperativo*
Tempo	**Presente**	**Imperfetto**	
io	mi lavi	mi lavassi	- - -
tu	ti lavi	ti lavassi	lạvati
lui, lei, Lei	si lavi	si lavasse	si lavi
noi	ci laviamo	ci lavạssimo	laviạmoci
voi	vi laviate	vi lavaste	lavạtevi
loro	si lạvino	si lavạssero	si lạvino

Tempi composti

Modo Indicativo **– Trapassato Prossimo**: mi ero lavato ...; **Trapassato Remoto**: mi fui lavato ...; **Futuro Anteriore**: mi sarò lavato ...

Modo Condizionale **– Passato**: mi sarẹi lavato ...

Modo Congiuntivo **– Passato**: mi sia lavato ...; **Trapassato**: mi fossi lavato ...

Modo Infinito **– Presente**: lavarsi; **Passato**: ẹssersi lavato / ***Modo Participio*** **– Presente**: lavạntesi; **Passato**: lavạtosi / ***Modo Gerundio*** **– Presente**: lavạndosi; **Passato**: essẹndosi lavato / *Forma passiva*: ---

lẹggere

(*elẹggere, protẹggere, rẹggere*)

Modo	*Indicativo*					*Condizionale*
Tempo	**Presente**	**Passato Prossimo**	**Imperfetto**	**Passato Remoto**	**Futuro Semplice**	**Semplice**
io	leggo	ho letto	leggevo	lessi	leggerò	leggerẹi
tu	leggi	hai letto	leggevi	leggesti	leggerại	leggeresti
lui, lei, Lei	legge	ha letto	leggeva	lesse	leggerà	leggerebbe
noi	leggiamo	abbiamo letto	leggevamo	leggemmo	leggeremo	leggeremmo
voi	leggete	avete letto	leggevate	leggeste	leggerete	leggereste
loro	lẹggono	hanno letto	leggẹvano	lẹssero	leggeranno	leggerẹbbero

Modo	*Congiuntivo*		*Imperativo*
Tempo	**Presente**	**Imperfetto**	
io	legga	leggessi	- - -
tu	legga	leggessi	leggi
lui, lei, Lei	legga	leggesse	legga
noi	leggiamo	leggẹssimo	leggiamo
voi	leggiate	leggeste	leggete
loro	lẹggano	leggẹssero	lẹggano

Tempi composti

Modo Indicativo – **Trapassato Prossimo**: avevo letto ...; **Trapassato Remoto**: ebbi letto ...; **Futuro Anteriore**: avrò letto ...

Modo Condizionale – **Passato**: avrẹi letto ...

Modo Congiuntivo – **Passato**: ạbbia letto ...; **Trapassato**: avessi letto ...

Modo Infinito – **Presente**: lẹggere; **Passato**: avẹre letto / ***Modo Participio*** – **Presente**: leggente; **Passato**: letto / ***Modo Gerundio*** – **Presente**: leggendo; **Passato**: avendo letto / *Forma passiva*: ẹssere letto

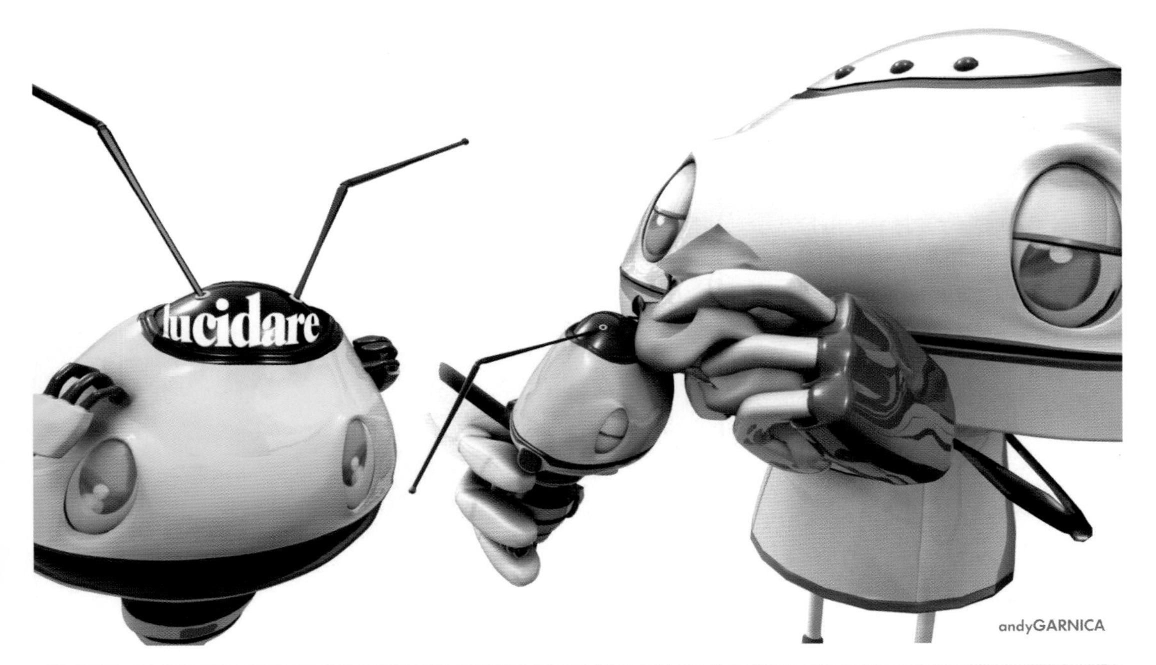

Modo	*Indicativo*					*Condizionale*
Tempo	**Presente**	**Passato Prossimo**	**Imperfetto**	**Passato Remoto**	**Futuro Semplice**	**Semplice**
io	lụcido	ho lucidato	lucidavo	lucidại	luciderò	luciderẹi
tu	lụcidi	hai lucidato	lucidavi	lucidasti	luciderại	lucideresti
lui, lei, Lei	lụcida	ha lucidato	lucidava	lucidò	luciderà	luciderebbe
noi	lucidiamo	abbiamo lucidato	lucidavamo	lucidammo	lucideremo	lucideremmo
voi	lucidate	avete lucidato	lucidavate	lucidaste	luciderete	lucidereste
loro	lụcidano	hanno lucidato	lucidạvano	lucidạrono	lucideranno	luciderębbero

Modo	*Congiuntivo*		*Imperativo*
Tempo	**Presente**	**Imperfetto**	
io	lụcidi	lucidassi	- - -
tu	lụcidi	lucidassi	lụcida
lui, lei, Lei	lụcidi	lucidasse	lụcidi
noi	lucidiamo	lucidạssimo	lucidiamo
voi	lucidiate	lucidaste	lucidate
loro	lụcidino	lucidạssero	lụcidino

Tempi composti

Modo Indicativo – **Trapassato Prossimo**: avevo lucidato ...; **Trapassato Remoto**: ebbi lucidato ...; **Futuro Anteriore**: avrò lucidato ...

Modo Condizionale – **Passato**: avrẹi lucidato ...

Modo Congiuntivo – **Passato**: ạbbia lucidato ...; **Trapassato**: avessi lucidato ...

Modo Infinito – **Presente**: lucidare; **Passato**: avẹre lucidato / ***Modo Participio*** – **Presente**: lucidante; **Passato**: lucidato / ***Modo Gerundio*** – **Presente**: lucidando; **Passato**: avendo lucidato / *Forma passiva*: ęssere lucidato

Modo	Indicativo					Condizionale
Tempo	**Presente**	**Passato Prossimo**	**Imperfetto**	**Passato Remoto**	**Futuro Semplice**	**Semplice**
io	mangio	ho mangiato	mangiavo	mangiại	mangerò	mangerẹi
tu	mangi	hai mangiato	mangiavi	mangiasti	mangerại	mangeresti
lui, lei, Lei	mangia	ha mangiato	mangiava	mangiò	mangerà	mangerebbe
noi	mangiamo	abbiamo mangiato	mangiavamo	mangiammo	mangeremo	mangeremmo
voi	mangiate	avete mangiato	mangiavate	mangiaste	mangerete	mangereste
loro	mạngiano	hanno mangiato	mangiạvano	mangiạrono	mangeranno	mangerẹbbero

Modo	Congiuntivo		Imperativo
Tempo	**Presente**	**Imperfetto**	
io	mangi	mangiassi	- - -
tu	mangi	mangiassi	mangia
lui, lei, Lei	mangi	mangiasse	mangi
noi	mangiamo	mangiạssimo	mangiamo
voi	mangiate	mangiaste	mangiate
loro	mạngino	mangiạssero	mạngino

Tempi composti

***Modo Indicativo* – Trapassato Prossimo**: avevo mangiato ...; **Trapassato Remoto**: ebbi mangiato ...; **Futuro Anteriore**: avrò mangiato ...

***Modo Condizionale* – Passato**: avrẹi mangiato ...

***Modo Congiuntivo* – Passato**: ạbbia mangiato ...; **Trapassato**: avessi mangiato ...

***Modo Infinito* – Presente**: mangiare; **Passato**: avẹre mangiato / ***Modo Participio* – Presente**: mangiante; **Passato**: mangiato / ***Modo Gerundio* – Presente**: mangiando; **Passato**: avendo mangiato / *Forma passiva*: ẹssere mangiato

Modo	Indicativo					Condizionale
Tempo	Presente	Passato Prossimo	Imperfetto	Passato Remoto	Futuro Semplice	Semplice
io	mento	ho mentito	mentivo	mentịi	mentirò	mentirẹi
tu	menti	hai mentito	mentivi	mentisti	mentirại	mentiresti
lui, lei, Lei	mente	ha mentito	mentiva	mentì	mentirà	mentirebbe
noi	mentiamo	abbiamo mentito	mentivamo	mentimmo	mentiremo	mentiremmo
voi	mentite	avete mentito	mentivate	mentiste	mentirete	mentireste
loro	mẹntono	hanno mentito	mentịvano	mentịrono	mentiranno	mentirẹbbero

Modo	Congiuntivo		Imperativo
Tempo	Presente	Imperfetto	
io	menta	mentissi	- - -
tu	menta	mentissi	menti
lui, lei, Lei	menta	mentisse	menta
noi	mentiamo	mentịssimo	mentiamo
voi	mentiate	mentiste	mentite
loro	mẹntano	mentịssero	mẹntano

Tempi composti

Modo Indicativo – **Trapassato Prossimo**: avevo mentito ...; **Trapassato Remoto**: ebbi mentito ...; **Futuro Anteriore**: avrò mentito ...

Modo Condizionale – **Passato**: avrẹi mentito ...

Modo Congiuntivo – **Passato**: ạbbia mentito ...; **Trapassato**: avessi mentito ...

Modo Infinito – **Presente**: mentire; **Passato**: avẹre mentito / ***Modo Participio*** – **Presente**: mentente; **Passato**: mentito / ***Modo Gerundio*** – **Presente**: mentendo; **Passato**: avendo mentito / *Forma passiva*: ---

mettere

(*permęttere, promęttere, scommęttere, trasmęttere*)

Modo	*Indicativo*					*Condizionale*
Tempo	**Presente**	**Passato Prossimo**	**Imperfetto**	**Passato Remoto**	**Futuro Semplice**	**Semplice**
io	metto	ho messo	mettevo	misi	metterò	metterẹi
tu	metti	hai messo	mettevi	mettesti	metterại	metteresti
lui, lei, Lei	mette	ha messo	metteva	mise	metterà	metterebbe
noi	mettiamo	abbiamo messo	mettevamo	mettemmo	metteremo	metteremmo
voi	mettete	avete messo	mettevate	metteste	metterete	mettereste
loro	męttono	hanno messo	mettęvano	mịsero	metteranno	metterẹbbero

Modo	*Congiuntivo*		*Imperativo*
Tempo	**Presente**	**Imperfetto**	
io	metta	mettessi	- - -
tu	metta	mettessi	metti
lui, lei, Lei	metta	mettesse	metta
noi	mettiamo	mettęssimo	mettiamo
voi	mettiate	metteste	mettete
loro	męttano	mettęssero	męttano

Tempi composti

Modo Indicativo – **Trapassato Prossimo**: avevo messo ...; **Trapassato Remoto**: ebbi messo ...; **Futuro Anteriore**: avrò messo ...

Modo Condizionale – **Passato**: avrẹi messo ...

Modo Congiuntivo – **Passato**: ạbbia messo ...; **Trapassato**: avessi messo ...

Modo Infinito – **Presente**: męttere; **Passato**: avẹre messo / ***Modo Participio*** – **Presente**: mettente; **Passato**: messo / ***Modo Gerundio*** – **Presente**: mettendo; **Passato**: avendo messo / *Forma passiva*: ęssere messo

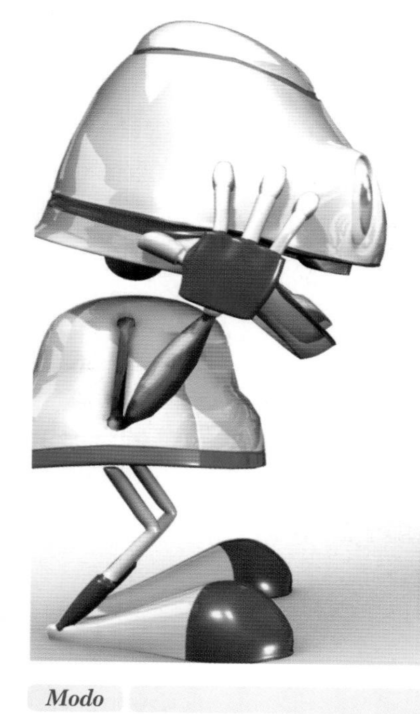

andyGARNICA

Modo	Indicativo					Condizionale
Tempo	**Presente**	**Passato Prossimo**	**Imperfetto**	**Passato Remoto**	**Futuro Semplice**	**Semplice**
io	mostro	ho mostrato	mostravo	mostrại	mostrerò	mostrerẹi
tu	mostri	hai mostrato	mostravi	mostrasti	mostrerại	mostreresti
lui, lei, Lei	mostra	ha mostrato	mostrava	mostrò	mostrerà	mostrerebbe
noi	mostriamo	abbiamo mostrato	mostravamo	mostrammo	mostreremo	mostreremmo
voi	mostrate	avete mostrato	mostravate	mostraste	mostrerete	mostrereste
loro	mọstrano	hanno mostrato	mostrạvano	mostrạrono	mostreranno	mostrerẹbbero

Modo	Congiuntivo		Imperativo
Tempo	**Presente**	**Imperfetto**	
io	mostri	mostrassi	- - -
tu	mostri	mostrassi	mostra
lui, lei, Lei	mostri	mostrasse	mostri
noi	mostriamo	mostrạssimo	mostriamo
voi	mostriate	mostraste	mostrate
loro	mọstrino	mostrạssero	mọstrino

Tempi composti

***Modo Indicativo* – Trapassato Prossimo**: avevo mostrato ...; **Trapassato Remoto**: ebbi mostrato ...; **Futuro Anteriore**: avrò mostrato ...

***Modo Condizionale* – Passato**: avrẹi mostrato ...

***Modo Congiuntivo* – Passato**: ạbbia mostrato ...; **Trapassato**: avessi mostrato ...

***Modo Infinito* – Presente**: mostrare; **Passato**: avẹre mostrato / ***Modo Participio* – Presente**: mostrante; **Passato**: mostrato / ***Modo Gerundio* – Presente**: mostrando; **Passato**: avendo mostrato / *Forma passiva*: ẹssere mostrato

Modo	Indicativo					Condizionale
Tempo	Presente	Passato Prossimo	Imperfetto	Passato Remoto	Futuro Semplice	Semplice
io	nuoto	ho nuotato	nuotavo	nuotại	nuoterò	nuoterẹi
tu	nuoti	hai nuotato	nuotavi	nuotasti	nuoterại	nuoteresti
lui, lei, Lei	nuota	ha nuotato	nuotava	nuotò	nuoterà	nuoterebbe
noi	nuotiamo	abbiamo nuotato	nuotavamo	nuotammo	nuoteremo	nuoteremmo
voi	nuotate	avete nuotato	nuotavate	nuotaste	nuoterete	nuotereste
loro	nuọtano	hanno nuotato	nuotạvano	nuotạrono	nuoteranno	nuoterẹbbero

Modo	Congiuntivo		Imperativo
Tempo	Presente	Imperfetto	
io	nuoti	nuotassi	- - -
tu	nuoti	nuotassi	nuota
lui, lei, Lei	nuoti	nuotasse	nuoti
noi	nuotiamo	nuotạssimo	nuotiamo
voi	nuotiate	nuotaste	nuotate
loro	nuọtino	nuotạssero	nuọtino

Tempi composti

Modo Indicativo – **Trapassato Prossimo**: avevo nuotato ...; **Trapassato Remoto**: ebbi nuotato ...; **Futuro Anteriore**: avrò nuotato ...

Modo Condizionale – **Passato**: avrẹi nuotato ...

Modo Congiuntivo – **Passato**: ạbbia nuotato ...; **Trapassato**: avessi nuotato ...

Modo Infinito – **Presente**: nuotare; **Passato**: avẹre nuotato / ***Modo Participio*** – **Presente**: nuotante; **Passato**: nuotato / ***Modo Gerundio*** – **Presente**: nuotando; **Passato**: avendo nuotato / *Forma passiva*: ---

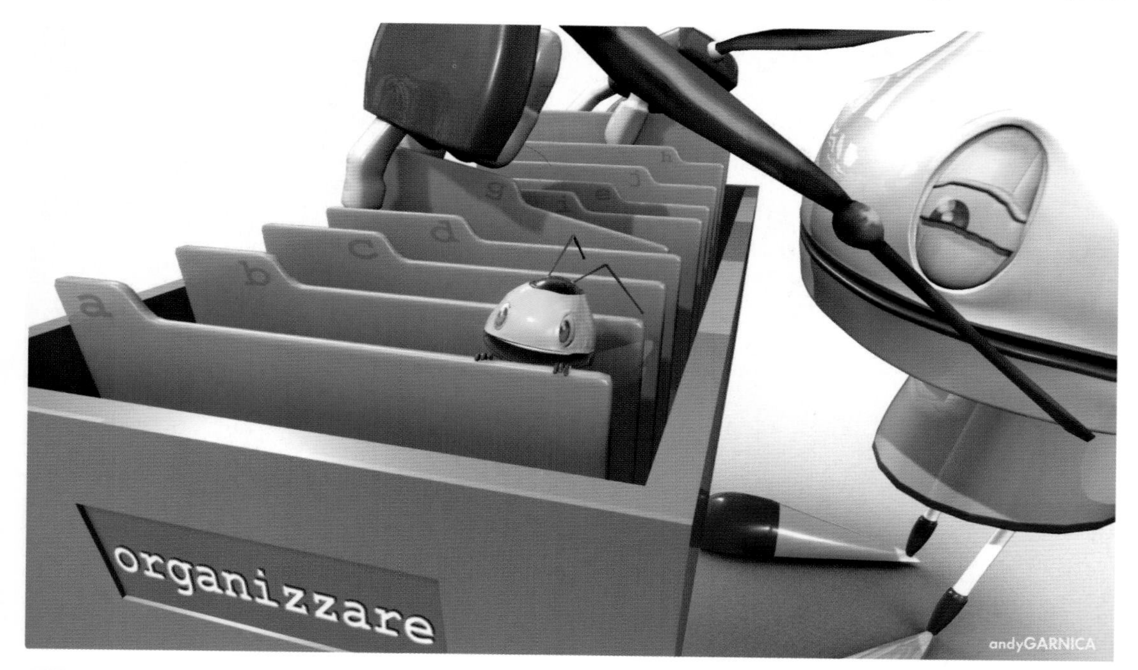

Modo	Indicativo					Condizionale
Tempo	Presente	Passato Prossimo	Imperfetto	Passato Remoto	Futuro Semplice	Semplice
io	organizzo	ho organizzato	organizzavo	organizzại	organizzerò	organizzerẹi
tu	organizzi	hai organizzato	organizzavi	organizzasti	organizzerại	organizzeresti
lui, lei, Lei	organizza	ha organizzato	organizzava	organizzò	organizzerà	organizzerebbe
noi	organizziamo	abbiamo organizzato	organizzavamo	organizzammo	organizzeremo	organizzerem-mo
voi	organizzate	avete organizzato	organizzavate	organizzaste	organizzerete	organizzereste
loro	organịzzano	hanno organizzato	organizzạvano	organizzạrono	organizzeranno	organizzerẹb-bero

Modo	Congiuntivo		Imperativo
Tempo	Presente	Imperfetto	
io	organizzi	organizzassi	- - -
tu	organizzi	organizzassi	organizza
lui, lei, Lei	organizzi	organizzasse	organizzi
noi	organizziamo	organizzạssimo	organizziamo
voi	organizziate	organizzaste	organizzate
loro	organịzzino	organizzạssero	organịzzino

Tempi composti

Modo Indicativo – **Trapassato Prossimo**: avevo organizzato ...; **Trapassato Remoto**: ebbi organizzato ...; **Futuro Anteriore**: avrò organizzato ...

Modo Condizionale – **Passato**: avrẹi organizzato ...

Modo Congiuntivo – **Passato**: ạbbia organizzato ...; **Trapassato**: avessi organizzato ...

Modo Infinito – **Presente**: organizzare; **Passato**: avẹre organizzato / ***Modo Participio*** – **Presente**: organizzante; **Passato**: organizzato / ***Modo Gerundio*** – **Presente**: organizzando; **Passato**: avendo organizzato / *Forma passiva*: ẹssere organizzato

Modo	Indicativo					Condizionale
Tempo	**Presente**	**Passato Prossimo**	**Imperfetto**	**Passato Remoto**	**Futuro Semplice**	**Semplice**
io	pago	ho pagato	pagavo	pagai	pagherò	pagherei
tu	paghi	hai pagato	pagavi	pagasti	pagherai	pagheresti
lui, lei, Lei	paga	ha pagato	pagava	pagò	pagherà	pagherebbe
noi	paghiamo	abbiamo pagato	pagavamo	pagammo	pagheremo	pagheremmo
voi	pagate	avete pagato	pagavate	pagaste	pagherete	paghereste
loro	pagano	hanno pagato	pagavano	pagarono	pagheranno	pagherebbero

Modo	Congiuntivo		Imperativo
Tempo	**Presente**	**Imperfetto**	
io	paghi	pagassi	- - -
tu	paghi	pagassi	paga
lui, lei, Lei	paghi	pagasse	paghi
noi	paghiamo	pagassimo	paghiamo
voi	paghiate	pagaste	pagate
loro	paghino	pagassero	paghino

Tempi composti

Modo Indicativo – **Trapassato Prossimo**: avevo pagato ...; **Trapassato Remoto**: ebbi pagato ...; **Futuro Anteriore**: avrò pagato ...

Modo Condizionale – **Passato**: avrei pagato ...

Modo Congiuntivo – **Passato**: abbia pagato ...; **Trapassato**: avessi pagato ...

Modo Infinito – **Presente**: pagare; **Passato**: avere pagato / ***Modo Participio*** – **Presente**: pagante; **Passato**: pagato / ***Modo Gerundio*** – **Presente**: pagando; **Passato**: avendo pagato / *Forma passiva*: essere pagato

Modo	*Indicativo*					*Condizionale*
Tempo	**Presente**	**Passato Prossimo**	**Imperfetto**	**Passato Remoto**	**Futuro Semplice**	**Semplice**
io	parlo	ho parlato	parlavo	parlại	parlerò	parlerẹi
tu	parli	hai parlato	parlavi	parlasti	parlerại	parleresti
lui, lei, Lei	parla	ha parlato	parlava	parlò	parlerà	parlerebbe
noi	parliamo	abbiamo parlato	parlavamo	parlammo	parleremo	parleremmo
voi	parlate	avete parlato	parlavate	parlaste	parlerete	parlereste
loro	pạrlano	hanno parlato	parlạvano	parlạrono	parleranno	parlerẹbbero

Modo	*Congiuntivo*		*Imperativo*
Tempo	**Presente**	**Imperfetto**	
io	parli	parlassi	- - -
tu	parli	parlassi	parla
lui, lei, Lei	parli	parlasse	parli
noi	parliamo	parlạssimo	parliamo
voi	parliate	parlaste	parlate
loro	pạrlino	parlạssero	pạrlino

Tempi composti

Modo Indicativo – **Trapassato Prossimo**: avevo parlato ...; **Trapassato Remoto**: ebbi parlato ...; **Futuro Anteriore**: avrò parlato ...

Modo Condizionale – **Passato**: avrẹi parlato ...

Modo Congiuntivo – **Passato**: ạbbia parlato ...; **Trapassato**: avessi parlato ...

Modo Infinito – **Presente**: parlare; **Passato**: avẹre parlato / *Modo Participio* – **Presente**: parlante; **Passato**: parlato / *Modo Gerundio* – **Presente**: parlando; **Passato**: avendo parlato / *Forma passiva*: ẹssere parlato

Modo	Indicativo					Condizionale
Tempo	Presente	Passato Prossimo	Imperfetto	Passato Remoto	Futuro Semplice	Semplice
io	passeggio	ho passeggiato	passeggiavo	passeggiại	passeggerò	passeggerẹi
tu	passeggi	hai passeggiato	passeggiavi	passeggiasti	passeggerại	passeggeresti
lui, lei, Lei	passeggia	ha passeggiato	passeggiava	passeggiò	passeggerà	passeggerebbe
noi	passeggiamo	abbiamo passeggiato	passeggiavamo	passeggiammo	passeggeremo	passeggeremmo
voi	passeggiate	avete passeggiato	passeggiavate	passeggiaste	passeggerete	passeggereste
loro	passẹggiano	hanno passeggiato	passeggiạvano	passeggiạrono	passeggeranno	passeggerẹbbero

Modo	Congiuntivo		Imperativo
Tempo	Presente	Imperfetto	
io	passeggi	passeggiassi	- - -
tu	passeggi	passeggiassi	passeggia
lui, lei, Lei	passeggi	passeggiasse	passeggi
noi	passeggiamo	passeggiạssimo	passeggiamo
voi	passeggiate	passeggiaste	passeggiate
loro	passẹggino	passeggiạssero	passẹggino

Tempi composti

Modo Indicativo – **Trapassato Prossimo**: avevo passeggiato ...; **Trapassato Remoto**: ebbi passeggiato ...; **Futuro Anteriore**: avrò passeggiato ...

Modo Condizionale – **Passato**: avrẹi passeggiato ...

Modo Congiuntivo – **Passato**: ạbbia passeggiato ...; **Trapassato**: avessi passeggiato ...

Modo Infinito – **Presente**: passeggiare; **Passato**: avẹre passeggiato / ***Modo Participio*** – **Presente**: passeggiante; **Passato**: passeggiato / ***Modo Gerundio*** – **Presente**: passeggiando; **Passato**: avendo passeggiato / *Forma passiva*: ---

Modo	*Indicativo*					*Condizionale*
Tempo	**Presente**	**Passato Prossimo**	**Imperfetto**	**Passato Remoto**	**Futuro Semplice**	**Semplice**
io	penso	ho pensato	pensavo	pensại	penserò	penserẹi
tu	pensi	hai pensato	pensavi	pensasti	penserại	penseresti
lui, lei, Lei	pensa	ha pensato	pensava	pensò	penserà	penserebbe
noi	pensiamo	abbiamo pensato	pensavamo	pensammo	penseremo	penseremmo
voi	pensate	avete pensato	pensavate	pensaste	penserete	pensereste
loro	pẹnsano	hanno pensato	pensạvano	pensạrono	penseranno	penserẹbbero

Modo	*Congiuntivo*		*Imperativo*
Tempo	**Presente**	**Imperfetto**	
io	pensi	pensassi	- - -
tu	pensi	pensassi	pensa
lui, lei, Lei	pensi	pensasse	pensi
noi	pensiamo	pensạssimo	pensiamo
voi	pensiate	pensaste	pensate
loro	pẹnsino	pensạssero	pẹnsino

Tempi composti

Modo Indicativo – **Trapassato Prossimo**: avevo pensato ...; **Trapassato Remoto**: ebbi pensato ...; **Futuro Anteriore**: avrò pensato ...

Modo Condizionale – **Passato**: avrẹi pensato ...

Modo Congiuntivo – **Passato**: ạbbia pensato ...; **Trapassato**: avessi pensato ...

Modo Infinito – **Presente**: pensare; **Passato**: avẹre pensato / ***Modo Participio*** – **Presente**: pensante; **Passato**: pensato / ***Modo Gerundio*** – **Presente**: pensando; **Passato**: avendo pensato / *Forma passiva*: ẹssere pensato

pęrdere

(dispęrdere)

Modo	Indicativo					Condizionale
Tempo	Presente	Passato Prossimo	Imperfetto	Passato Remoto	Futuro Semplice	Semplice
io	perdo	ho perso	perdevo	persi	perderò	perderęi
tu	perdi	hai perso	perdevi	perdesti	perderąi	perderesti
lui, lei, Lei	perde	ha perso	perdeva	perse	perderà	perderebbe
noi	perdiamo	abbiamo perso	perdevamo	perdemmo	perderemo	perderemmo
voi	perdete	avete perso	perdevate	perdeste	perderete	perdereste
loro	pęrdono	hanno perso	perdęvano	pęrsero	perderanno	perderębbero

Modo	Congiuntivo		Imperativo
Tempo	Presente	Imperfetto	
io	perda	perdessi	- - -
tu	perda	perdessi	perdi
lui, lei, Lei	perda	perdesse	perda
noi	perdiamo	perdęssimo	perdiamo
voi	perdiate	perdeste	perdete
loro	pęrdano	perdęssero	pęrdano

Tempi composti

***Modo Indicativo* – Trapassato Prossimo**: avevo perso ...; **Trapassato Remoto**: ebbi perso ...; **Futuro Anteriore**: avrò perso ...

***Modo Condizionale* – Passato**: avręi perso ...

***Modo Congiuntivo* – Passato**: ąbbia perso ...; **Trapassato**: avessi perso ...

***Modo Infinito* – Presente**: pęrdere; **Passato**: avęre perso / ***Modo Participio* – Presente**: perdente; **Passato**: perso (perduto) / ***Modo Gerundio* – Presente**: perdendo; **Passato**: avendo perso / *Forma passiva*: ęssere perso

Modo	Indicativo					Condizionale
Tempo	**Presente**	**Passato Prossimo**	**Imperfetto**	**Passato Remoto**	**Futuro Semplice**	**Semplice**
io	pẹttino	ho pettinato	pettinavo	pettinại	pettinerò	pettinerẹi
tu	pẹttini	hai pettinato	pettinavi	pettinasti	pettinerại	pettineresti
lui, lei, Lei	pẹttina	ha pettinato	pettinava	pettinò	pettinerà	pettinerebbe
noi	pettiniamo	abbiamo pettinato	pettinavamo	pettinammo	pettineremo	pettineremmo
voi	pettinate	avete pettinato	pettinavate	pettinaste	pettinerete	pettinereste
loro	pẹttinano	hanno pettinato	pettinạvano	pettinạrono	pettineranno	pettinerẹbbero

Modo	Congiuntivo		Imperativo
Tempo	**Presente**	**Imperfetto**	
io	pẹttini	pettinassi	- - -
tu	pẹttini	pettinassi	pẹttina
lui, lei, Lei	pẹttini	pettinasse	pẹttini
noi	pettiniamo	pettinạssimo	pettiniamo
voi	pettiniate	pettinaste	pettinate
loro	pẹttinino	pettinạssero	pẹttinino

Tempi composti

Modo Indicativo – **Trapassato Prossimo**: avevo pettinato ...; **Trapassato Remoto**: ebbi pettinato ...; **Futuro Anteriore**: avrò pettinato ...

Modo Condizionale – **Passato**: avrẹi pettinato ...

Modo Congiuntivo – **Passato**: ạbbia pettinato ...; **Trapassato**: avessi pettinato ...

Modo Infinito – **Presente**: pettinare; **Passato**: avẹre pettinato / ***Modo Participio*** – **Presente**: pettinante; **Passato**: pettinato / ***Modo Gerundio*** – **Presente**: pettinando; **Passato**: avendo pettinato / *Forma passiva*: ẹssere pettinato

piacẹre

(*dispiacẹre, giacẹre*)

Modo	Indicativo					Condizionale
Tempo	Presente	Passato Prossimo	Imperfetto	Passato Remoto	Futuro Semplice	Semplice
io	piaccio	sono piaciuto	piacevo	piacqui	piacerò	piacerẹi
tu	piaci	sei piaciuto	piacevi	piacesti	piacerại	piaceresti
lui, lei, Lei	piace	è piaciuto	piaceva	piacque	piacerà	piacerebbe
noi	piacciamo	siamo piaciuti	piacevamo	piacemmo	piaceremo	piaceremmo
voi	piacete	siete piaciuti	piacevate	piaceste	piacerete	piacereste
loro	piạcciono	sono piaciuti	piacẹvano	piạcquero	piaceranno	piacerẹbbero

Modo	Congiuntivo		Imperativo
Tempo	Presente	Imperfetto	
io	piaccia	piacessi	- - -
tu	piaccia	piacessi	piaci
lui, lei, Lei	piaccia	piacesse	piaccia
noi	piacciamo	piacẹssimo	piacciamo
voi	piacciate	piaceste	piacete
loro	piạcciano	piacẹssero	piạcciano

Tempi composti

Modo Indicativo – **Trapassato Prossimo**: ero piaciuto ...; **Trapassato Remoto**: fui piaciuto ...; **Futuro Anteriore**: sarò piaciuto ...

Modo Condizionale – **Passato**: sarẹi piaciuto ...

Modo Congiuntivo – **Passato**: sia piaciuto ...; **Trapassato**: fossi piaciuto ...

Modo Infinito – **Presente**: piacere; **Passato**: ẹssere piaciuto / ***Modo Participio*** – **Presente**: piacente; **Passato**: piaciuto / ***Modo Gerundio*** – **Presente**: piacendo; **Passato**: essendo piaciuto / *Forma passiva*: ---

Modo	*Indicativo*					*Condizionale*
Tempo	**Presente**	**Passato Prossimo**	**Imperfetto**	**Passato Remoto**	**Futuro Semplice**	**Semplice**
	piove	ha/è piovuto	pioveva	piovve	pioverà	pioverebbe

Modo	*Congiuntivo*		*Imperativo*
Tempo	**Presente**	**Imperfetto**	
	piova	piovesse	piova

Tempi composti

Modo Indicativo – **Trapassato Prossimo**: aveva/era piovuto ...; **Trapassato Remoto**: ebbe/fu piovuto ...; **Futuro Anteriore**: avrà/sarà piovuto ...

Modo Condizionale – **Passato**: avrebbe/sarebbe piovuto ...

Modo Congiuntivo – **Passato**: ạbbia/sia piovuto ...; **Trapassato**: avesse/fosse piovuto ...

Modo Infinito – **Presente**: piọvere; **Passato**: avẹre/ẹssere piovuto / ***Modo Participio*** – **Presente**: piovente; **Passato**: piovuto / ***Modo Gerundio*** – **Presente**: piovendo; **Passato**: avendo/essendo piovuto / *Forma passiva*: ---

Modo	*Indicativo*					*Condizionale*
Tempo	**Presente**	**Passato Prossimo**	**Imperfetto**	**Passato Remoto**	**Futuro Semplice**	**Semplice**
io	porto	ho portato	portavo	portại	porterò	porterẹi
tu	porti	hai portato	portavi	portasti	porterại	porteresti
lui, lei, Lei	porta	ha portato	portava	portò	porterà	porterebbe
noi	portiamo	abbiamo portato	portavamo	portammo	porteremo	porteremmo
voi	portate	avete portato	portavate	portaste	porterete	portereste
loro	pọrtano	hanno portato	portạvano	portạrono	porteranno	porterẹbbero

Modo	*Congiuntivo*		*Imperativo*
Tempo	**Presente**	**Imperfetto**	
io	porti	portassi	- - -
tu	porti	portassi	porta
lui, lei, Lei	porti	portasse	porti
noi	portiamo	portạssimo	portiamo
voi	portiate	portaste	portate
loro	pọrtino	portạssero	pọrtino

Tempi composti

Modo Indicativo – **Trapassato Prossimo**: avevo portato ...; **Trapassato Remoto**: ebbi portato ...; **Futuro Anteriore**: avrò portato ...

Modo Condizionale – **Passato**: avrẹi portato ...

Modo Congiuntivo – **Passato**: ạbbia portato ...; **Trapassato**: avessi portato ...

Modo Infinito – **Presente**: portare; **Passato**: avẹre portato / ***Modo Participio*** – **Presente**: portante; **Passato**: portato / ***Modo Gerundio*** – **Presente**: portando; **Passato**: avendo portato / *Forma passiva*: ẹssere portato

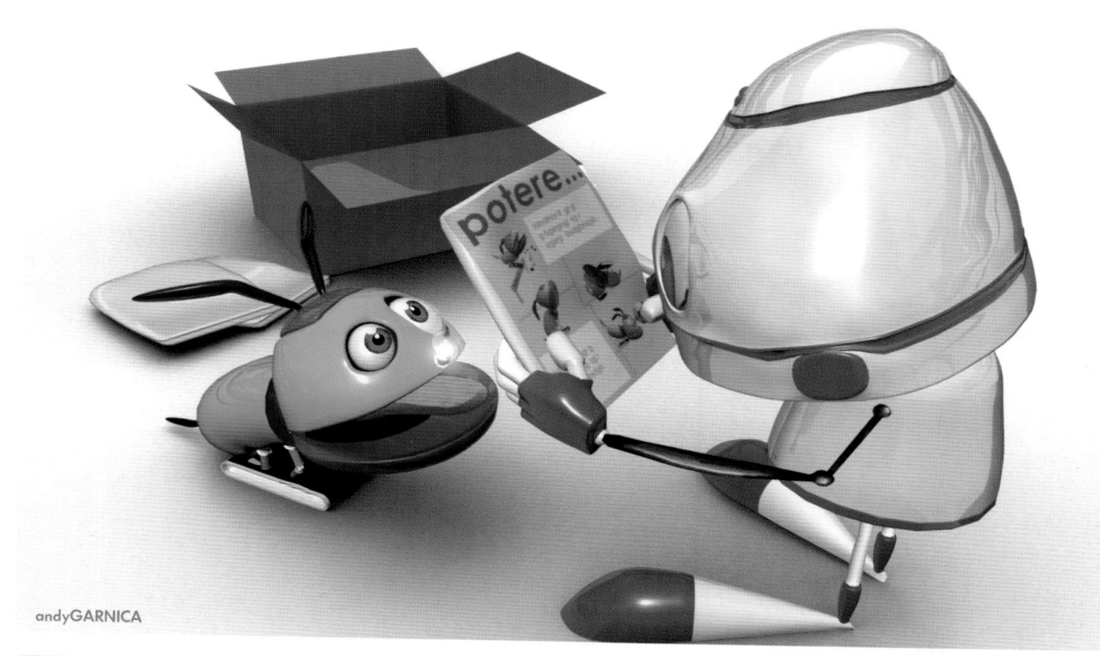

Modo	Indicativo					Condizionale
Tempo	**Presente**	**Passato Prossimo**	**Imperfetto**	**Passato Remoto**	**Futuro Semplice**	**Semplice**
io	posso	ho potuto	potevo	potẹi (potetti)	potrò	potrẹi
tu	puoi	hai potuto	potevi	potesti	potrại	potresti
lui, lei, Lei	può	ha potuto	poteva	poté (potette)	potrà	potrebbe
noi	possiamo	abbiamo potuto	potevamo	potemmo	potremo	potremmo
voi	potete	avete potuto	potevate	poteste	potrete	potreste
loro	pọssono	hanno potuto	potẹvano	potẹrono (potẹttero)	potranno	potrẹbbero

Modo	Congiuntivo		Imperativo
Tempo	**Presente**	**Imperfetto**	
io	possa	potessi	- - -
tu	possa	potessi	- - -
lui, lei, Lei	possa	potesse	- - -
noi	possiamo	potẹssimo	- - -
voi	possiate	poteste	- - -
loro	pọssano	potẹssero	- - -

Tempi composti

Modo Indicativo – **Trapassato Prossimo**: avevo potuto ...; **Trapassato Remoto**: ebbi potuto ...; **Futuro Anteriore**: avrò potuto ...

Modo Condizionale – **Passato**: avrẹi potuto ...

Modo Congiuntivo – **Passato**: ạbbia potuto ...; **Trapassato**: avessi potuto ...

Modo Infinito – **Presente**: potere; **Passato**: avẹre potuto / ***Modo Participio*** – **Presente**: potente; **Passato**: potuto / ***Modo Gerundio*** – **Presente**: potendo; **Passato**: avendo potuto / *Forma passiva*: ---

prẹndere

(*distẹndere, fraintẹndere, pretẹndere, sospẹndere*)

Modo	*Indicativo*					*Condizionale*
Tempo	**Presente**	**Passato Prossimo**	**Imperfetto**	**Passato Remoto**	**Futuro Semplice**	**Semplice**
io	prendo	ho preso	prendevo	presi	prenderò	prenderẹi
tu	prendi	hai preso	prendevi	prendesti	prenderại	prenderesti
lui, lei, Lei	prende	ha preso	prendeva	prese	prenderà	prenderebbe
noi	prendiamo	abbiamo preso	prendevamo	prendemmo	prenderemo	prenderemmo
voi	prendete	avete preso	prendevate	prendeste	prenderete	prendereste
loro	prẹndono	hanno preso	prendẹvano	prẹsero	prenderanno	prenderẹbbero

Modo	*Congiuntivo*		*Imperativo*
Tempo	**Presente**	**Imperfetto**	
io	prenda	prendessi	- - -
tu	prenda	prendessi	prendi
lui, lei, Lei	prenda	prendesse	prenda
noi	prendiamo	prendẹssimo	prendiamo
voi	prendiate	prendeste	prendete
loro	prẹndano	prendẹssero	prẹndano

Tempi composti

Modo Indicativo – **Trapassato Prossimo**: avevo preso ...; **Trapassato Remoto**: ebbi preso ...; **Futuro Anteriore**: avrò preso ...

Modo Condizionale – **Passato**: avrẹi preso ...

Modo Congiuntivo – **Passato**: ạbbia preso ...; **Trapassato**: avessi preso ...

Modo Infinito – **Presente**: prẹndere; **Passato**: avẹre preso / ***Modo Participio*** – **Presente**: prendente; **Passato**: preso / ***Modo Gerundio*** – **Presente**: prendendo; **Passato**: avendo preso / *Forma passiva*: ẹssere preso

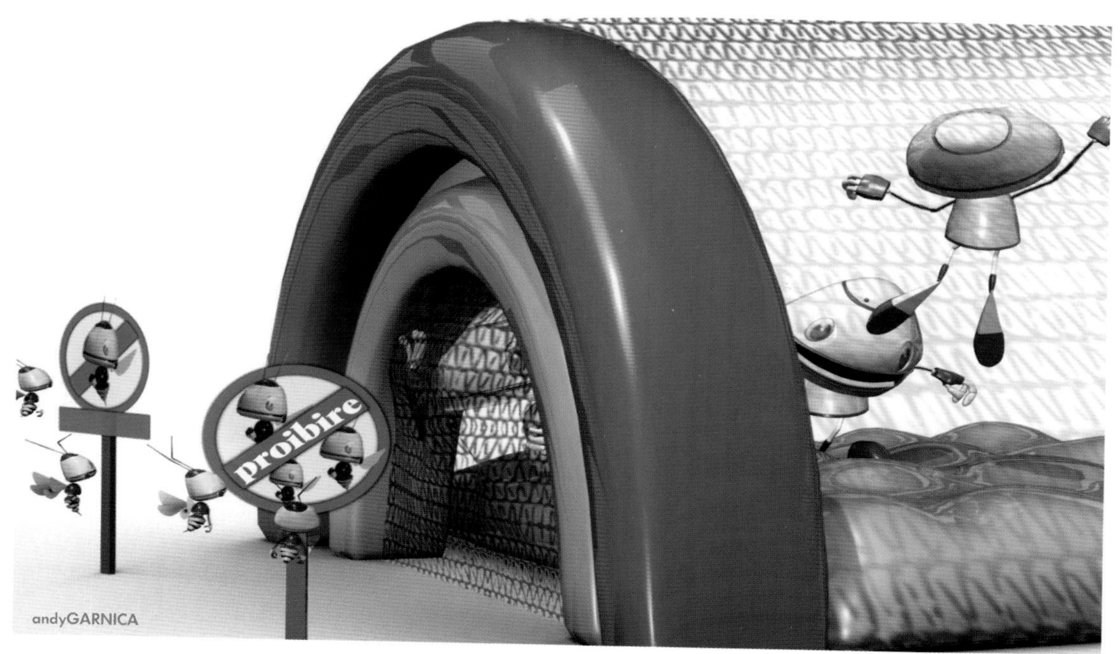

Modo	Indicativo					Condizionale
Tempo	Presente	Passato Prossimo	Imperfetto	Passato Remoto	Futuro Semplice	Semplice
io	proibisco	ho proibito	proibivo	proibịi	proibirò	proibirẹi
tu	proibisci	hai proibito	proibivi	proibisti	proibirại	proibiresti
lui, lei, Lei	proibisce	ha proibito	proibiva	proibì	proibirà	proibirebbe
noi	proibiamo	abbiamo proibito	proibivamo	proibimmo	proibiremo	proibiremmo
voi	proibite	avete proibito	proibivate	proibiste	proibirete	proibireste
loro	proibịscono	hanno proibito	proibịvano	proibịrono	proibiranno	proibirẹbbero

Modo	Congiuntivo		Imperativo
Tempo	Presente	Imperfetto	
io	proibisca	proibissi	- - -
tu	proibisca	proibissi	proibisci
lui, lei, Lei	proibisca	proibisse	proibisca
noi	proibiamo	proibịssimo	proibiamo
voi	proibiate	proibiste	proibite
loro	proibịscano	proibịssero	proibịscano

Tempi composti

Modo Indicativo – **Trapassato Prossimo**: avevo proibito ...; **Trapassato Remoto**: ebbi proibito ...; **Futuro Anteriore**: avrò proibito ...

Modo Condizionale – **Passato**: avrẹi proibito ...

Modo Congiuntivo – **Passato**: ạbbia proibito ...; **Trapassato**: avessi proibito ...

Modo Infinito – **Presente**: proibire; **Passato**: avẹre proibito / ***Modo Participio*** – **Presente**: proibente; **Passato**: proibito / ***Modo Gerundio*** – **Presente**: proibendo; **Passato**: avendo proibito / *Forma passiva*: ẹssere proibito

Modo	Indicativo					Condizionale
Tempo	Presente	Passato Prossimo	Imperfetto	Passato Remoto	Futuro Semplice	Semplice
io	pulisco	ho pulito	pulivo	pulịi	pulirò	pulirẹi
tu	pulisci	hai pulito	pulivi	pulisti	pulirại	puliresti
lui, lei, Lei	pulisce	ha pulito	puliva	pulì	pulirà	pulirebbe
noi	puliamo	abbiamo pulito	pulivamo	pulimmo	puliremo	puliremmo
voi	pulite	avete pulito	pulivate	puliste	pulirete	pulireste
loro	pulịscono	hanno pulito	pulịvano	pulịrono	puliranno	pulirẹbbero

Modo	Congiuntivo		Imperativo
Tempo	Presente	Imperfetto	
io	pulisca	pulissi	- - -
tu	pulisca	pulissi	pulisci
lui, lei, Lei	pulisca	pulisse	pulisca
noi	puliamo	pulịssimo	puliamo
voi	puliate	puliste	pulite
loro	pulịscano	pulịssero	pulịscano

Tempi composti

Modo Indicativo – **Trapassato Prossimo**: avevo pulito ...; **Trapassato Remoto**: ebbi pulito ...; **Futuro Anteriore**: avrò pulito ...

Modo Condizionale – **Passato**: avrẹi pulito ...

Modo Congiuntivo – **Passato**: ạbbia pulito ...; **Trapassato**: avessi pulito ...

Modo Infinito – **Presente**: pulire; **Passato**: avẹre pulito / *Modo Participio* – **Presente**: pulente; **Passato**: pulito / *Modo Gerundio* – **Presente**: pulendo; **Passato**: avendo pulito / *Forma passiva*: ẹssere pulito

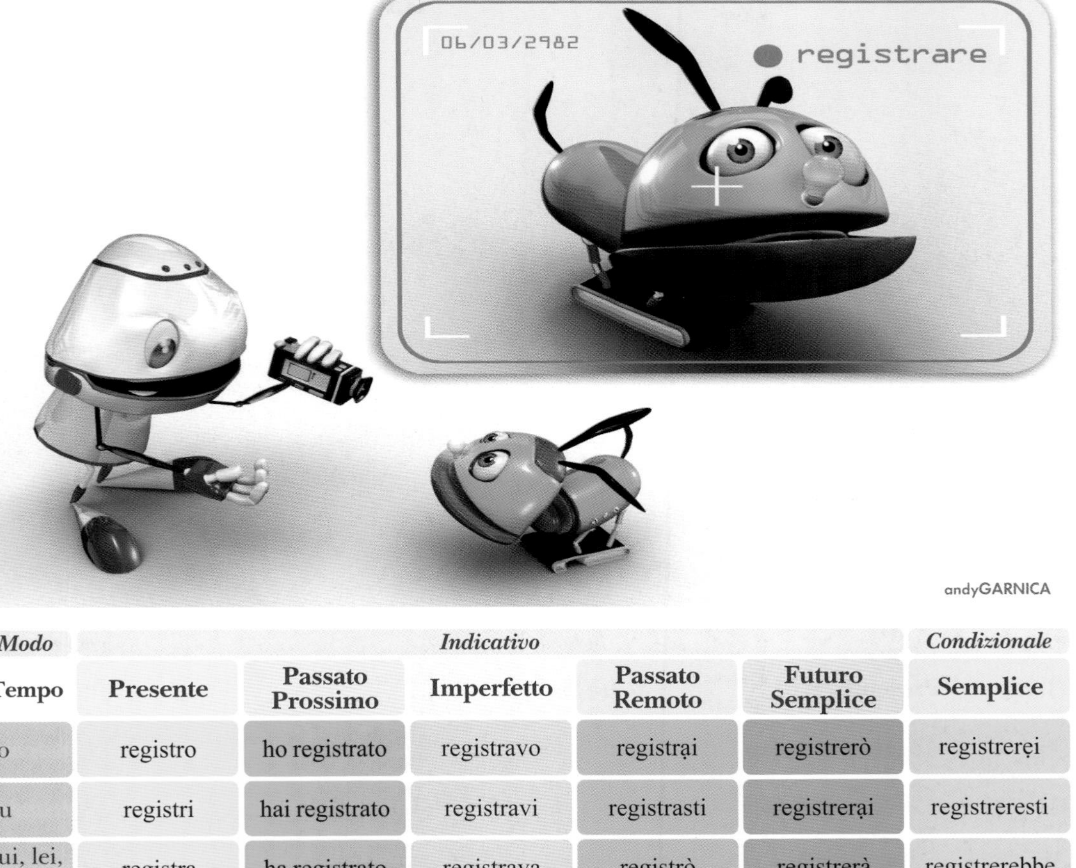

Modo	*Indicativo*					*Condizionale*
Tempo	**Presente**	**Passato Prossimo**	**Imperfetto**	**Passato Remoto**	**Futuro Semplice**	**Semplice**
io	registro	ho registrato	registravo	registrại	registrerò	registrerẹi
tu	registri	hai registrato	registravi	registrasti	registrerại	registreresti
lui, lei, Lei	registra	ha registrato	registrava	registrò	registrerà	registrerebbe
noi	registriamo	abbiamo registrato	registravamo	registrammo	registreremo	registreremmo
voi	registrate	avete registrato	registravate	registraste	registrerete	registrereste
loro	regịstrano	hanno registrato	registrạvano	registrạrono	registreranno	registrerẹbbero

Modo	*Congiuntivo*		*Imperativo*
Tempo	**Presente**	**Imperfetto**	
io	registri	registrassi	- - -
tu	registri	registrassi	registra
lui, lei, Lei	registri	registrasse	registri
noi	registriamo	registrạssimo	registriamo
voi	registriate	registraste	registrate
loro	regịstrino	registrạssero	regịstrino

Tempi composti

Modo Indicativo – **Trapassato Prossimo**: avevo registrato ...; **Trapassato Remoto**: ebbi registrato ...; **Futuro Anteriore**: avrò registrato ...

Modo Condizionale – **Passato**: avrẹi registrato ...

Modo Congiuntivo – **Passato**: ạbbia registrato ...; **Trapassato**: avessi registrato ...

Modo Infinito – **Presente**: registrare; **Passato**: avẹre registrato / ***Modo Participio*** – **Presente**: registrante; **Passato**: registrato / ***Modo Gerundio*** – **Presente**: registrando; **Passato**: avendo registrato / *Forma passiva*: ẹssere registrato

Modo	Indicativo					Condizionale
Tempo	Presente	Passato Prossimo	Imperfetto	Passato Remoto	Futuro Semplice	Semplice
io	ricevo	ho ricevuto	ricevevo	ricevetti (ricevẹi)	riceverò	riceverẹi
tu	ricevi	hai ricevuto	ricevevi	ricevesti	riceverại	riceveresti
lui, lei, Lei	riceve	ha ricevuto	riceveva	ricevette (ricevé)	riceverà	riceverebbe
noi	riceviamo	abbiamo ricevuto	ricevevamo	ricevemmo	riceveremo	riceveremmo
voi	ricevete	avete ricevuto	ricevevate	riceveste	riceverete	ricevereste
loro	ricẹvono	hanno ricevuto	ricevẹvano	ricevẹttero (ricevẹrono)	riceveranno	riceverẹbbero

Modo	Congiuntivo		Imperativo
Tempo	Presente	Imperfetto	
io	riceva	ricevessi	- - -
tu	riceva	ricevessi	ricevi
lui, lei, Lei	riceva	ricevesse	riceva
noi	riceviamo	ricevẹssimo	riceviamo
voi	riceviate	riceveste	ricevete
loro	ricẹvano	ricevẹssero	ricẹvano

Tempi composti

***Modo Indicativo* – Trapassato Prossimo**: avevo ricevuto ...; **Trapassato Remoto**: ebbi ricevuto ...; **Futuro Anteriore**: avrò ricevuto ...

***Modo Condizionale* – Passato**: avrẹi ricevuto ...

***Modo Congiuntivo* – Passato**: ạbbia ricevuto ...; **Trapassato**: avessi ricevuto ...

***Modo Infinito* – Presente**: ricẹvere; **Passato**: avẹre ricevuto / ***Modo Participio* – Presente**: ricevente; **Passato**: ricevuto / ***Modo Gerundio* – Presente**: ricevendo; **Passato**: avendo ricevuto / *Forma passiva*: ẹssere ricevuto

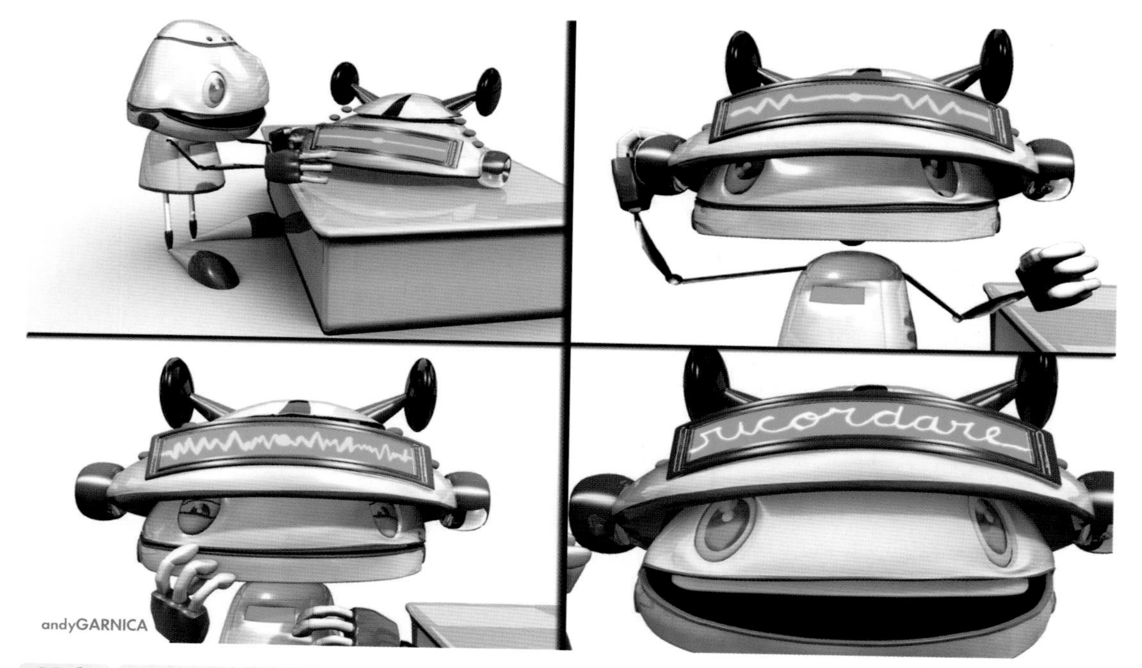

Modo	*Indicativo*					*Condizionale*
Tempo	**Presente**	**Passato Prossimo**	**Imperfetto**	**Passato Remoto**	**Futuro Semplice**	**Semplice**
io	ricordo	ho ricordato	ricordavo	ricordại	ricorderò	ricorderẹi
tu	ricordi	hai ricordato	ricordavi	ricordasti	ricorderại	ricorderesti
lui, lei, Lei	ricorda	ha ricordato	ricordava	ricordò	ricorderà	ricorderebbe
noi	ricordiamo	abbiamo ricordato	ricordavamo	ricordammo	ricorderemo	ricorderemmo
voi	ricordate	avete ricordato	ricordavate	ricordaste	ricorderete	ricordereste
loro	ricọrdano	hanno ricordato	ricordạvano	ricordạrono	ricorderanno	ricorderẹbbero

Modo	*Congiuntivo*		*Imperativo*
Tempo	**Presente**	**Imperfetto**	
io	ricordi	ricordassi	- - -
tu	ricordi	ricordassi	ricorda
lui, lei, Lei	ricordi	ricordasse	ricordi
noi	ricordiamo	ricordạssimo	ricordiamo
voi	ricordiate	ricordaste	ricordate
loro	ricọrdino	ricordạssero	ricọrdino

Tempi composti

Modo Indicativo – **Trapassato Prossimo**: avevo ricordato ...; **Trapassato Remoto**: ebbi ricordato ...; **Futuro Anteriore**: avrò ricordato ...

Modo Condizionale – **Passato**: avrẹi ricordato ...

Modo Congiuntivo – **Passato**: ạbbia ricordato ...; **Trapassato**: avessi ricordato ...

Modo Infinito – **Presente**: ricordare; **Passato**: avẹre ricordato / ***Modo Participio*** – **Presente**: ricordante; **Passato**: ricordato / ***Modo Gerundio*** – **Presente**: ricordando; **Passato**: avendo ricordato / *Forma passiva*: ẹssere ricordato

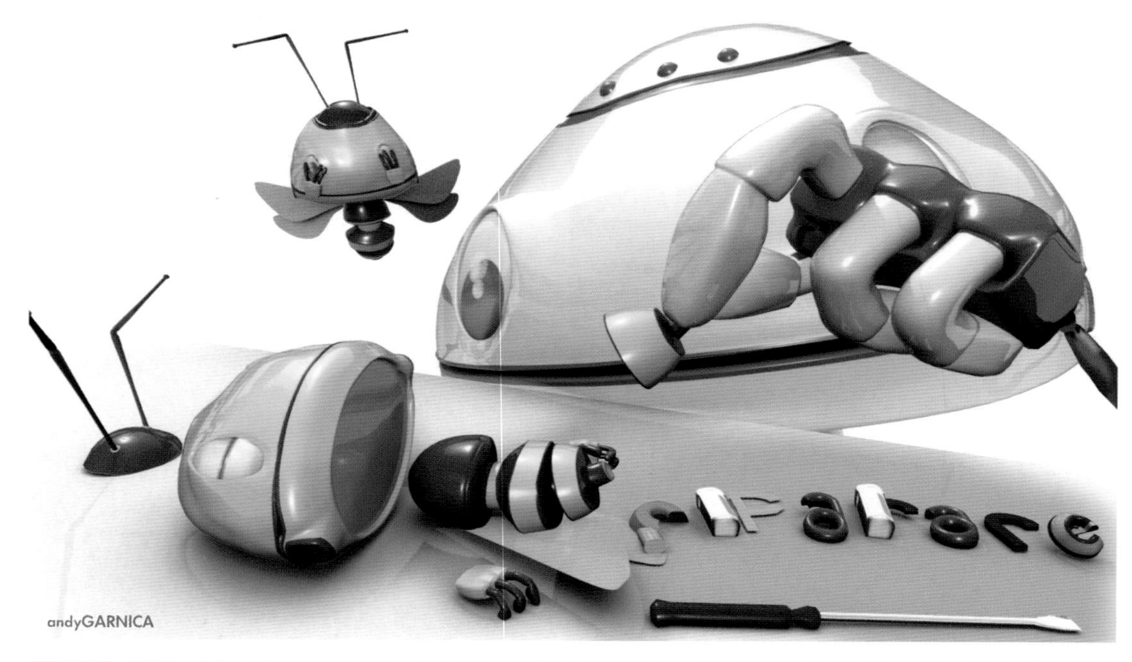

Modo	*Indicativo*					*Condizionale*
Tempo	**Presente**	**Passato Prossimo**	**Imperfetto**	**Passato Remoto**	**Futuro Semplice**	**Semplice**
io	riparo	ho riparato	riparavo	riparại	riparerò	riparerẹi
tu	ripari	hai riparato	riparavi	riparasti	riparerại	ripareresti
lui, lei, Lei	ripara	ha riparato	riparava	riparò	riparerà	riparerebbe
noi	ripariamo	abbiamo riparato	riparavamo	riparammo	ripareremo	ripareremmo
voi	riparate	avete riparato	riparavate	riparaste	riparerete	riparereste
loro	ripạrano	hanno riparato	riparạvano	riparạrono	ripareranno	riparerẹbbero

Modo	*Congiuntivo*		*Imperativo*
Tempo	**Presente**	**Imperfetto**	
io	ripari	riparassi	- - -
tu	ripari	riparassi	ripara
lui, lei, Lei	ripari	riparasse	ripari
noi	ripariamo	riparạssimo	ripariamo
voi	ripariate	riparaste	riparate
loro	ripạrino	riparạssero	ripạrino

Tempi composti

Modo Indicativo – **Trapassato Prossimo**: avevo riparato ...; **Trapassato Remoto**: ebbi riparato ...; **Futuro Anteriore**: avrò riparato ...

Modo Condizionale – **Passato**: avrẹi riparato ...

Modo Congiuntivo – **Passato**: ạbbia riparato ...; **Trapassato**: avessi riparato ...

Modo Infinito – **Presente**: riparare; **Passato**: avẹre riparato / ***Modo Participio*** – **Presente**: riparante; **Passato**: riparato / ***Modo Gerundio*** – **Presente**: riparando; **Passato**: avendo riparato / *Forma passiva*: ẹssere riparato

Modo	Indicativo					Condizionale
Tempo	**Presente**	**Passato Prossimo**	**Imperfetto**	**Passato Remoto**	**Futuro Semplice**	**Semplice**
io	ritorno	sono ritornato	ritornavo	ritornại	ritornerò	ritornerẹi
tu	ritorni	sei ritornato	ritornavi	ritornasti	ritornerại	ritorneresti
lui, lei, Lei	ritorna	è ritornato	ritornava	ritornò	ritornerà	ritornerebbe
noi	ritorniamo	siamo ritornati	ritornavamo	ritornammo	ritorneremo	ritorneremmo
voi	ritornate	siete ritornati	ritornavate	ritornaste	ritornerete	ritornereste
loro	ritọrnano	sono ritornati	ritornạvano	ritornạrono	ritorneranno	ritornerẹbbero

Modo	Congiuntivo		Imperativo
Tempo	**Presente**	**Imperfetto**	
io	ritorni	ritornassi	- - -
tu	ritorni	ritornassi	ritorna
lui, lei, Lei	ritorni	ritornasse	ritorni
noi	ritorniamo	ritornạssimo	ritorniamo
voi	ritorniate	ritornaste	ritornate
loro	ritọrnino	ritornạssero	ritọrnino

Tempi composti

Modo Indicativo – **Trapassato Prossimo**: ero ritornato ...; **Trapassato Remoto**: fui ritornato ...; **Futuro Anteriore**: sarò ritornato ...

Modo Condizionale – **Passato**: sarẹi ritornato ...

Modo Congiuntivo – **Passato**: sia ritornato ...; **Trapassato**: fossi ritornato ...

Modo Infinito – **Presente**: ritornare; **Passato**: ẹssere ritornato / ***Modo Participio*** – **Presente**: ritornante; **Passato**: ritornato / ***Modo Gerundio*** – **Presente**: ritornando; **Passato**: essendo ritornato / *Forma passiva*: ---

Modo	Indicativo					Condizionale
Tempo	Presente	Passato Prossimo	Imperfetto	Passato Remoto	Futuro Semplice	Semplice
io	salto	ho saltato/ sono saltato	saltavo	saltại	salterò	salterẹi
tu	salti	hai saltato/ sei saltato	saltavi	saltasti	salterại	salteresti
lui, lei, Lei	salta	ha saltato/ è saltato	saltava	saltò	salterà	salterebbe
noi	saltiamo	abbiamo saltato/ siamo saltati	saltavamo	saltammo	salteremo	salteremmo
voi	saltate	avete saltato/ siete saltati	saltavate	saltaste	salterete	saltereste
loro	sạltano	hanno saltato/ sono saltati	saltạvano	saltạrono	salteranno	salterẹbbero

Modo	Congiuntivo		Imperativo
Tempo	Presente	Imperfetto	
io	salti	saltassi	- - -
tu	salti	saltassi	salta
lui, lei, Lei	salti	saltasse	salti
noi	saltiamo	saltạssimo	saltiamo
voi	saltiate	saltaste	saltate
loro	sạltino	saltạssero	sạltino

Tempi composti

Modo Indicativo – **Trapassato Prossimo**: avevo/ero saltato ...; **Trapassato Remoto**: ebbi/fui saltato ...; **Futuro Anteriore**: avrò/sarò saltato ...

Modo Condizionale – **Passato**: avrẹi/sarẹi saltato ...

Modo Congiuntivo – **Passato**: ạbbia/sia saltato ...; **Trapassato**: avessi/fossi saltato ...

Modo Infinito – **Presente**: saltare; **Passato**: avẹre/ẹssere saltato / ***Modo Participio*** – **Presente**: saltante; **Passato**: saltato / ***Modo Gerundio*** – **Presente**: saltando; **Passato**: avendo/essendo saltato / *Forma passiva*: ẹssere saltato (verbo transitivo)

Modo	*Indicativo*					*Condizionale*
Tempo	**Presente**	**Passato Prossimo**	**Imperfetto**	**Passato Remoto**	**Futuro Semplice**	**Semplice**
io	saluto	ho salutato	salutavo	salutąi	saluterò	saluterẹi
tu	saluti	hai salutato	salutavi	salutasti	saluterąi	saluteresti
lui, lei, Lei	saluta	ha salutato	salutava	salutò	saluterà	saluterebbe
noi	salutiamo	abbiamo salutato	salutavamo	salutammo	saluteremo	saluteremmo
voi	salutate	avete salutato	salutavate	salutaste	saluterete	salutereste
loro	salụtano	hanno salutato	salutąvano	salutąrono	saluteranno	saluterẹbbero

Modo	*Congiuntivo*		*Imperativo*
Tempo	**Presente**	**Imperfetto**	
io	saluti	salutassi	---
tu	saluti	salutassi	saluta
lui, lei, Lei	saluti	salutasse	saluti
noi	salutiamo	salutąssimo	salutiamo
voi	salutiate	salutaste	salutate
loro	salụtino	salutąssero	salụtino

Tempi composti

Modo Indicativo – **Trapassato Prossimo**: avevo salutato ...; **Trapassato Remoto**: ebbi salutato ...; **Futuro Anteriore**: avrò salutato ...

Modo Condizionale – **Passato**: avrẹi salutato ...

Modo Congiuntivo – **Passato**: ąbbia salutato ...; **Trapassato**: avessi salutato ...

Modo Infinito – **Presente**: salutare; **Passato**: avẹre salutato / ***Modo Participio*** – **Presente**: salutante; **Passato**: salutato / ***Modo Gerundio*** – **Presente**: salutando; **Passato**: avendo salutato / *Forma passiva*: ẹssere salutato

Modo	Indicativo					Condizionale
Tempo	Presente	Passato Prossimo	Imperfetto	Passato Remoto	Futuro Semplice	Semplice
io	so	ho saputo	sapevo	seppi	saprò	saprẹi
tu	sai	hai saputo	sapevi	sapesti	saprại	sapresti
lui, lei, Lei	sa	ha saputo	sapeva	seppe	saprà	saprebbe
noi	sappiamo	abbiamo saputo	sapevamo	sapemmo	sapremo	sapremmo
voi	sapete	avete saputo	sapevate	sapeste	saprete	sapreste
loro	sanno	hanno saputo	sapẹvano	sẹppero	sapranno	saprẹbbero

Modo	Congiuntivo		Imperativo
Tempo	Presente	Imperfetto	
io	sappia	sapessi	- - -
tu	sappia	sapessi	sappi
lui, lei, Lei	sappia	sapesse	sappia
noi	sappiamo	sapẹssimo	sappiamo
voi	sappiate	sapeste	sappiate
loro	sạppiano	sapẹssero	sạppiano

Tempi composti

Modo Indicativo – **Trapassato Prossimo**: avevo saputo ...; **Trapassato Remoto**: ebbi saputo ...; **Futuro Anteriore**: avrò saputo ...

Modo Condizionale – **Passato**: avrẹi saputo ...

Modo Congiuntivo – **Passato**: ạbbia saputo ...; **Trapassato**: avessi saputo ...

Modo Infinito – **Presente**: sapere; **Passato**: avẹre saputo / ***Modo Participio*** – **Presente**: sapiente; **Passato**: saputo / ***Modo Gerundio*** – **Presente**: sapendo; **Passato**: avendo saputo / *Forma passiva*: ẹssere saputo

Modo	Indicativo					Condizionale
Tempo	Presente	Passato Prossimo	Imperfetto	Passato Remoto	Futuro Semplice	Semplice
io	sbatto	ho sbattuto	sbattevo	sbattẹi (sbattetti)	sbatterò	sbatterẹi
tu	sbatti	hai sbattuto	sbattevi	sbattesti	sbatterại	sbatteresti
lui, lei, Lei	sbatte	ha sbattuto	sbatteva	sbatté (sbattette)	sbatterà	sbatterebbe
noi	sbattiamo	abbiamo sbattuto	sbattevamo	sbattemmo	sbatteremo	sbatteremmo
voi	sbattete	avete sbattuto	sbattevate	sbatteste	sbatterete	sbattereste
loro	sbạttono	hanno sbattuto	sbattẹvano	sbattẹrono (sbattẹttero)	sbatteranno	sbatterẹbbero

Modo	Congiuntivo		Imperativo
Tempo	Presente	Imperfetto	
io	sbatta	sbattessi	- - -
tu	sbatta	sbattessi	sbatti
lui, lei, Lei	sbatta	sbattesse	sbatta
noi	sbattiamo	sbattẹssimo	sbattiamo
voi	sbattiate	sbatteste	sbattete
loro	sbạttano	sbattẹssero	sbạttano

Tempi composti

Modo Indicativo – **Trapassato Prossimo**: avevo sbattuto ...; **Trapassato Remoto**: ebbi sbattuto ...; **Futuro Anteriore**: avrò sbattuto ...

Modo Condizionale – **Passato**: avrẹi sbattuto ...

Modo Congiuntivo – **Passato**: ạbbia sbattuto ...; **Trapassato**: avessi sbattuto ...

Modo Infinito – **Presente**: sbạttere; **Passato**: avẹre sbattuto / ***Modo Participio*** – **Presente**: sbattente; **Passato**: sbattuto / ***Modo Gerundio*** – **Presente**: sbattendo; **Passato**: avendo sbattuto / *Forma passiva*: ẹssere sbattuto

Modo	Indicativo					Condizionale
Tempo	Presente	Passato Prossimo	Imperfetto	Passato Remoto	Futuro Semplice	Semplice
io	scendo	sono sceso	scendevo	scesi	scenderò	scenderẹi
tu	scendi	sei sceso	scendevi	scendesti	scenderại	scenderesti
lui, lei, Lei	scende	è sceso	scendeva	scese	scenderà	scenderebbe
noi	scendiamo	siamo scesi	scendevamo	scendemmo	scenderemo	scenderemmo
voi	scendete	siete scesi	scendevate	scendeste	scenderete	scendereste
loro	scẹndono	sono scesi	scendẹvano	scẹsero	scenderanno	scenderẹbbero

Modo	Congiuntivo		Imperativo
Tempo	Presente	Imperfetto	
io	scenda	scendessi	---
tu	scenda	scendessi	scendi
lui, lei, Lei	scenda	scendesse	scenda
noi	scendiamo	scendẹssimo	scendiamo
voi	scendiate	scendeste	scendete
loro	scẹndano	scendẹssero	scẹndano

Tempi composti

Modo Indicativo – **Trapassato Prossimo**: ero sceso ...; **Trapassato Remoto**: fui sceso ...; **Futuro Anteriore**: sarò sceso ...

Modo Condizionale – **Passato**: sarẹi sceso ...

Modo Congiuntivo – **Passato**: sia sceso ...; **Trapassato**: fossi sceso ...

Modo Infinito – **Presente**: scẹndere; **Passato**: ẹssere sceso / ***Modo Participio*** – **Presente**: scendente; **Passato**: sceso / ***Modo Gerundio*** – **Presente**: scendendo; **Passato**: essendo sceso / *Forma passiva*: ---

scrịvere

(*iscrịvere, prescrịvere, sottoscrịvere, trascrịvere*)

Modo	*Indicativo*					*Condizionale*
Tempo	**Presente**	**Passato Prossimo**	**Imperfetto**	**Passato Remoto**	**Futuro Semplice**	**Semplice**
io	scrivo	ho scritto	scrivevo	scrissi	scriverò	scriverẹi
tu	scrivi	hai scritto	scrivevi	scrivesti	scriverại	scriveresti
lui, lei, Lei	scrive	ha scritto	scriveva	scrisse	scriverà	scriverebbe
noi	scriviamo	abbiamo scritto	scrivevamo	scrivemmo	scriveremo	scriveremmo
voi	scrivete	avete scritto	scrivevate	scriveste	scriverete	scrivereste
loro	scrịvono	hanno scritto	scrivẹvano	scrissero	scriveranno	scriverẹbbero

Modo	*Congiuntivo*		*Imperativo*
Tempo	**Presente**	**Imperfetto**	
io	scriva	scrivessi	- - -
tu	scriva	scrivessi	scrivi
lui, lei, Lei	scriva	scrivesse	scriva
noi	scriviamo	scrivẹssimo	scriviamo
voi	scriviate	scriveste	scrivete
loro	scrịvano	scrivẹssero	scrịvano

Tempi composti

Modo Indicativo – **Trapassato Prossimo**: avevo scritto ...; **Trapassato Remoto**: ebbi scritto ...; **Futuro Anteriore**: avrò scritto ...

Modo Condizionale – **Passato**: avrẹi scritto ...

Modo Congiuntivo – **Passato**: ạbbia scritto ...; **Trapassato**: avessi scritto ...

Modo Infinito – **Presente**: scrịvere; **Passato**: avẹre scritto / ***Modo Participio*** – **Presente**: scrivente; **Passato**: scritto / ***Modo Gerundio*** – **Presente**: scrivendo; **Passato**: avendo scritto / *Forma passiva*: ẹssere scritto

sedẹrsi

(*possedẹre, soprassedẹre*)

Modo	Indicativo					Condizionale
Tempo	**Presente**	**Passato Prossimo**	**Imperfetto**	**Passato Remoto**	**Futuro Semplice**	**Semplice**
io	mi siedo	mi sono seduto	mi sedevo	mi sedetti (sedẹi)	mi siederò (sederò)	mi siederẹi (sederẹi)
tu	ti siedi	ti sei seduto	ti sedevi	ti sedesti	ti siederạì (sederạì)	ti siederesti (sederesti)
lui, lei, Lei	si siede	si è seduto	si sedeva	si sedette (sedé)	si siederà (sederà)	si siederebbe (sederebbe)
noi	ci sediamo	ci siamo seduti	ci sedevamo	ci sedemmo	ci siederemo (sederemo)	ci siederemmo (sederemmo)
voi	vi sedete	vi siete seduti	vi sedevate	vi sedeste	vi siederete (sederete)	vi siedereste (sedereste)
loro	si siẹdono	si sono seduti	si sedẹvano	si sedẹttero (sedẹrono)	si siederanno (sederanno)	si siederẹbbero (sederẹbbero)

Modo	Congiuntivo		Imperativo
Tempo	**Presente**	**Imperfetto**	
io	mi sieda	mi sedessi	- - -
tu	ti sieda	ti sedessi	siẹditi
lui, lei, Lei	si sieda	si sedesse	si sieda
noi	ci sediamo	ci sedẹssimo	sediạmoci
voi	vi sediate	vi sedeste	sedẹtevi
loro	si siẹdano	si sedẹssero	si siẹdano

Tempi composti

Modo Indicativo – **Trapassato Prossimo**: mi ero seduto...; **Trapassato Remoto**: mi fui seduto ...; **Futuro Anteriore**: mi sarò seduto...

Modo Condizionale – **Passato**: mi sarẹi seduto ...

Modo Congiuntivo – **Passato**: mi sia seduto ...; **Trapassato**: mi fossi seduto ...

Modo Infinito – **Presente**: sedersi; **Passato**: ẹssersi seduto / ***Modo Participio*** – **Presente**: sedẹntesi; **Passato**: sedụtosi / ***Modo Gerundio*** – **Presente**: sedẹndosi; **Passato**: essẹndosi seduto / *Forma passiva*: ---

Modo	Indicativo					Condizionale
Tempo	**Presente**	**Passato Prossimo**	**Imperfetto**	**Passato Remoto**	**Futuro Semplice**	**Semplice**
io	seguo	ho seguito	seguivo	seguịi	seguirò	seguirẹi
tu	segui	hai seguito	seguivi	seguisti	seguirại	seguiresti
lui, lei, Lei	segue	ha seguito	seguiva	seguì	seguirà	seguirebbe
noi	seguiamo	abbiamo seguito	seguivamo	seguimmo	seguiremo	seguiremmo
voi	seguite	avete seguito	seguivate	seguiste	seguirete	seguireste
loro	sẹguono	hanno seguito	seguịvano	seguịrono	seguiranno	seguirẹbbero

Modo	Congiuntivo		Imperativo
Tempo	**Presente**	**Imperfetto**	
io	segua	seguissi	- - -
tu	segua	seguissi	segui
lui, lei, Lei	segua	seguisse	segua
noi	seguiamo	seguịssimo	seguiamo
voi	seguiate	seguiste	seguite
loro	sẹguano	seguịssero	sẹguano

Tempi composti

Modo Indicativo – **Trapassato Prossimo**: avevo seguito ...; **Trapassato Remoto**: ebbi seguito ...; **Futuro Anteriore**: avrò seguito ...

Modo Condizionale – **Passato**: avrẹi seguito ...

Modo Congiuntivo – **Passato**: ạbbia seguito ...; **Trapassato**: avessi seguito ...

Modo Infinito – **Presente**: seguire; **Passato**: avẹre seguito / ***Modo Participio*** – **Presente**: seguente; **Passato**: seguito / ***Modo Gerundio*** – **Presente**: seguendo; **Passato**: avendo seguito / *Forma passiva*: ẹssere seguito

Modo	Indicativo					Condizionale
Tempo	Presente	Passato Prossimo	Imperfetto	Passato Remoto	Futuro Semplice	Semplice
io	sento	ho sentito	sentivo	sentịi	sentirò	sentirẹi
tu	senti	hai sentito	sentivi	sentisti	sentirại	sentiresti
lui, lei, Lei	sente	ha sentito	sentiva	sentì	sentirà	sentirebbe
noi	sentiamo	abbiamo sentito	sentivamo	sentimmo	sentiremo	sentiremmo
voi	sentite	avete sentito	sentivate	sentiste	sentirete	sentireste
loro	sẹntono	hanno sentito	sentịvano	sentịrono	sentiranno	sentirẹbbero

Modo	Congiuntivo		Imperativo
Tempo	Presente	Imperfetto	
io	senta	sentissi	- - -
tu	senta	sentissi	senti
lui, lei, Lei	senta	sentisse	senta
noi	sentiamo	sentịssimo	sentiamo
voi	sentiate	sentiste	sentite
loro	sẹntano	sentịssero	sẹntano

Tempi composti

Modo Indicativo – **Trapassato Prossimo**: avevo sentito ...; **Trapassato Remoto**: ebbi sentito ...; **Futuro Anteriore**: avrò sentito ...

Modo Condizionale – **Passato**: avrẹi sentito ...

Modo Congiuntivo – **Passato**: ạbbia sentito ...; **Trapassato**: avessi sentito ...

Modo Infinito – **Presente**: sentire; **Passato**: avẹre sentito / ***Modo Participio*** – **Presente**: sentente; **Passato**: sentito / ***Modo Gerundio*** – **Presente**: sentendo; **Passato**: avendo sentito / *Forma passiva*: ẹssere sentito

Modo	*Indicativo*					*Condizionale*
Tempo	**Presente**	**Passato Prossimo**	**Imperfetto**	**Passato Remoto**	**Futuro Semplice**	**Semplice**
io	separo	ho separato	separavo	separại	separerò	separerẹi
tu	separi	hai separato	separavi	separasti	separerại	separeresti
lui, lei, Lei	separa	ha separato	separava	separò	separerà	separerebbe
noi	separiamo	abbiamo separato	separavamo	separammo	separeremo	separeremmo
voi	separate	avete separato	separavate	separaste	separerete	separereste
loro	sepạrano	hanno separato	separạvano	separạrono	separeranno	separerẹbbero

Modo	*Congiuntivo*		*Imperativo*
Tempo	**Presente**	**Imperfetto**	
io	separi	separassi	- - -
tu	separi	separassi	separa
lui, lei, Lei	separi	separasse	separi
noi	separiamo	separạssimo	separiamo
voi	separiate	separaste	separate
loro	sepạrino	separạssero	sepạrino

Tempi composti

Modo Indicativo – **Trapassato Prossimo**: avevo separato ...; **Trapassato Remoto**: ebbi separato ...; **Futuro Anteriore**: avrò separato ...

Modo Condizionale – **Passato**: avrẹi separato ...

Modo Congiuntivo – **Passato**: ạbbia separato ...; **Trapassato**: avessi separato ...

Modo Infinito – **Presente**: separare; **Passato**: avẹre separato / ***Modo Participio*** – **Presente**: separante; **Passato**: separato / ***Modo Gerundio*** – **Presente**: separando; **Passato**: avendo separato / *Forma passiva*: ẹssere separato

Modo	*Indicativo*					*Condizionale*
Tempo	**Presente**	**Passato Prossimo**	**Imperfetto**	**Passato Remoto**	**Futuro Semplice**	**Semplice**
io	smetto	ho smesso	smettevo	smisi	smetterò	smetterẹi
tu	smetti	hai smesso	smettevi	smettesti	smetterại	smetteresti
lui, lei, Lei	smette	ha smesso	smetteva	smise	smetterà	smetterebbe
noi	smettiamo	abbiamo smesso	smettevamo	smettemmo	smetteremo	smetteremmo
voi	smettete	avete smesso	smettevate	smetteste	smetterete	smettereste
loro	smẹttono	hanno smesso	smettẹvano	smịsero	smetteranno	smetterebbero

Modo	*Congiuntivo*		*Imperativo*
Tempo	**Presente**	**Imperfetto**	
io	smetta	smettessi	- - -
tu	smetta	smettessi	smetti
lui, lei, Lei	smetta	smettesse	smetta
noi	smettiamo	smettẹssimo	smettiamo
voi	smettiate	smetteste	smettete
loro	smẹttano	smettẹssero	smẹttano

Tempi composti

Modo Indicativo – **Trapassato Prossimo**: avevo smesso ...; **Trapassato Remoto**: ebbi smesso ...; **Futuro Anteriore**: avrò smesso ...

Modo Condizionale – **Passato**: avrẹi smesso ...

Modo Congiuntivo – **Passato**: ạbbia smesso ...; **Trapassato**: avessi smesso ...

Modo Infinito – **Presente**: smẹttere; **Passato**: avẹre smesso / ***Modo Participio*** – **Presente**: smettente; **Passato**: smesso / ***Modo Gerundio*** – **Presente**: smettendo; **Passato**: avendo smesso / *Forma passiva*: ---

Modo	Indicativo					Condizionale
Tempo	Presente	Passato Prossimo	Imperfetto	Passato Remoto	Futuro Semplice	Semplice
io	sogno	ho sognato	sognavo	sognąi	sognerò	sognerẹi
tu	sogni	hai sognato	sognavi	sognasti	sognerąi	sogneresti
lui, lei, Lei	sogna	ha sognato	sognava	sognò	sognerà	sognerebbe
noi	sogniamo	abbiamo sognato	sognavamo	sognammo	sogneremo	sogneremmo
voi	sognate	avete sognato	sognavate	sognaste	sognerete	sognereste
loro	sọgnano	hanno sognato	sognąvano	sognąrono	sogneranno	sognerẹbbero

Modo	Congiuntivo		Imperativo
Tempo	Presente	Imperfetto	
io	sogni	sognassi	- - -
tu	sogni	sognassi	sogna
lui, lei, Lei	sogni	sognasse	sogni
noi	sogniamo	sognąssimo	sogniamo
voi	sogniate	sognaste	sognate
loro	sọgnino	sognąssero	sọgnino

Tempi composti

***Modo Indicativo* – Trapassato Prossimo**: avevo sognato ...; **Trapassato Remoto**: ebbi sognato ...; **Futuro Anteriore**: avrò sognato ...

***Modo Condizionale* – Passato**: avrẹi sognato ...

***Modo Congiuntivo* – Passato**: ąbbia sognato ...; **Trapassato**: avessi sognato ...

***Modo Infinito* – Presente**: sognare; **Passato**: avẹre sognato / ***Modo Participio* – Presente**: sognante; **Passato**: sognato / ***Modo Gerundio* – Presente**: sognando; **Passato**: avendo sognato / *Forma passiva*: ẹssere sognato

Modo	*Indicativo*					*Condizionale*
Tempo	**Presente**	**Passato Prossimo**	**Imperfetto**	**Passato Remoto**	**Futuro Semplice**	**Semplice**
io	mi sposo	mi sono sposato	mi sposavo	mi sposại	mi sposerò	mi sposerẹi
tu	ti sposi	ti sei sposato	ti sposavi	ti sposasti	ti sposerại	ti sposeresti
lui, lei, Lei	si sposa	si è sposato	si sposava	si sposò	si sposerà	si sposerebbe
noi	ci sposiamo	ci siamo sposati	ci sposavamo	ci sposammo	ci sposeremo	ci sposeremmo
voi	vi sposate	vi siete sposati	vi sposavate	vi sposaste	vi sposerete	vi sposereste
loro	si spọsano	si sono sposati	si sposạvano	si sposạrono	si sposeranno	si sposerẹbbero

Modo	*Congiuntivo*		*Imperativo*
Tempo	**Presente**	**Imperfetto**	
io	mi sposi	mi sposassi	- - -
tu	ti sposi	ti sposassi	spọsati
lui, lei, Lei	si sposi	si sposasse	si sposi
noi	ci sposiamo	ci sposạssimo	sposiạmoci
voi	vi sposiate	vi sposaste	sposạtevi
loro	si spọsino	si sposạssero	si spọsino

Tempi composti

Modo Indicativo – **Trapassato Prossimo**: mi ero sposato ...; **Trapassato Remoto**: mi fui sposato ...; **Futuro Anteriore**: mi sarò sposato ...

Modo Condizionale – **Passato**: mi sarẹi sposato ...

Modo Congiuntivo – **Passato**: mi sia sposato ...; **Trapassato**: mi fossi sposato ...

Modo Infinito – **Presente**: sposarsi; **Passato**: ẹssersi sposato / ***Modo Participio*** – **Presente**: sposạntesi; **Passato**: sposạtosi / ***Modo Gerundio*** – **Presente**: sposạndosi; **Passato**: essẹndosi sposato / *Forma passiva*: ---

stare
(*sottostạre*)

Modo	Indicativo					Condizionale
Tempo	**Presente**	**Passato Prossimo**	**Imperfetto**	**Passato Remoto**	**Futuro Semplice**	**Semplice**
io	sto	sono stato	stavo	stetti	starò	starẹi
tu	stai	sei stato	stavi	stesti	starại	staresti
lui, lei, Lei	sta	è stato	stava	stette	starà	starebbe
noi	stiamo	siamo stati	stavamo	stemmo	staremo	staremmo
voi	state	siete stati	stavate	steste	starete	stareste
loro	stanno	sono stati	stạvano	stẹttero	staranno	starẹbbero

Modo	Congiuntivo		Imperativo
Tempo	**Presente**	**Imperfetto**	
io	stia	stessi	- - -
tu	stia	stessi	sta' (stai)
lui, lei, Lei	stia	stesse	stia
noi	stiamo	stẹssimo	stiamo
voi	stiate	steste	state
loro	stịano	stẹssero	stịano

Tempi composti

Modo Indicativo – **Trapassato Prossimo**: ero stato ...; **Trapassato Remoto**: fui stato ...; **Futuro Anteriore**: sarò stato ...

Modo Condizionale – **Passato**: sarẹi stato ...

Modo Congiuntivo – **Passato**: sia stato ...; **Trapassato**: fossi stato ...

Modo Infinito – **Presente**: stare; **Passato**: ẹssere stato / ***Modo Participio*** – **Presente**: stante; **Passato**: stato / ***Modo Gerundio*** – **Presente**: stando; **Passato**: essendo stato / *Forma passiva*: ---

Modo	*Indicativo*					*Condizionale*
Tempo	**Presente**	**Passato Prossimo**	**Imperfetto**	**Passato Remoto**	**Futuro Semplice**	**Semplice**
io	studio	ho studiato	studiavo	studiai	studierò	studierei
tu	studi	hai studiato	studiavi	studiasti	studierai	studieresti
lui, lei, Lei	studia	ha studiato	studiava	studiò	studierà	studierebbe
noi	studiamo	abbiamo studiato	studiavamo	studiammo	studieremo	studieremmo
voi	studiate	avete studiato	studiavate	studiaste	studierete	studiereste
loro	studiano	hanno studiato	studiavano	studiarono	studieranno	studierebbero

Modo	*Congiuntivo*		*Imperativo*
Tempo	**Presente**	**Imperfetto**	
io	studi	studiassi	- - -
tu	studi	studiassi	studia
lui, lei, Lei	studi	studiasse	studi
noi	studiamo	studiassimo	studiamo
voi	studiate	studiaste	studiate
loro	studino	studiassero	studino

Tempi composti

***Modo Indicativo* – Trapassato Prossimo**: avevo studiato ...; **Trapassato Remoto**: ebbi studiato ...; **Futuro Anteriore**: avrò studiato ...

***Modo Condizionale* – Passato**: avrei studiato ...

***Modo Congiuntivo* – Passato**: abbia studiato ...; **Trapassato**: avessi studiato ...

***Modo Infinito* – Presente**: studiare; **Passato**: avere studiato / ***Modo Participio* – Presente**: studiante; **Passato**: studiato / ***Modo Gerundio* – Presente**: studiando; **Passato**: avendo studiato / *Forma passiva*: essere studiato

Modo	*Indicativo*					*Condizionale*
Tempo	**Presente**	**Passato Prossimo**	**Imperfetto**	**Passato Remoto**	**Futuro Semplice**	**Semplice**
io	sveglio	ho svegliato	svegliavo	svegliại	sveglierò	sveglierẹi
tu	svegli	hai svegliato	svegliavi	svegliasti	sveglierại	sveglieresti
lui, lei, Lei	sveglia	ha svegliato	svegliava	svegliò	sveglierà	sveglierebbe
noi	svegliamo	abbiamo svegliato	svegliavamo	svegliammo	sveglieremo	sveglieremmo
voi	svegliate	avete svegliato	svegliavate	svegliaste	sveglierete	svegliereste
loro	svẹgliano	hanno svegliato	svegliạvano	svegliạrono	sveglieranno	sveglierẹbbero

Modo	*Congiuntivo*		*Imperativo*
Tempo	**Presente**	**Imperfetto**	
io	svegli	svegliassi	- - -
tu	svegli	svegliassi	sveglia
lui, lei, Lei	svegli	svegliasse	svegli
noi	svegliamo	svegliạssimo	svegliamo
voi	svegliate	svegliaste	svegliate
loro	svẹglino	svegliạssero	svẹglino

Tempi composti

Modo Indicativo – **Trapassato Prossimo**: avevo svegliato ...; **Trapassato Remoto**: ebbi svegliato ...; **Futuro Anteriore**: avrò svegliato ...

Modo Condizionale – **Passato**: avrẹi svegliato ...

Modo Congiuntivo – **Passato**: ạbbia svegliato ...; **Trapassato**: avessi svegliato ...

Modo Infinito – **Presente**: svegliare; **Passato**: avẹre svegliato / ***Modo Participio*** – **Presente**: svegliante; **Passato**: svegliato / ***Modo Gerundio*** – **Presente**: svegliando; **Passato**: avendo svegliato / *Forma passiva*: ẹssere svegliato

Modo	Indicativo					Condizionale
Tempo	Presente	Passato Prossimo	Imperfetto	Passato Remoto	Futuro Semplice	Semplice
io	taccio	ho taciuto	tacevo	tacqui	tacerò	tacerẹi
tu	taci	hai taciuto	tacevi	tacesti	tacerại	taceresti
lui, lei, Lei	tace	ha taciuto	taceva	tacque	tacerà	tacerebbe
noi	tacciamo	abbiamo taciuto	tacevamo	tacemmo	taceremo	taceremmo
voi	tacete	avete taciuto	tacevate	taceste	tacerete	tacereste
loro	tạcciono	hanno taciuto	tacẹvano	tạcquero	taceranno	tacerẹbbero

Modo	Congiuntivo		Imperativo
Tempo	Presente	Imperfetto	
io	taccia	tacessi	- - -
tu	taccia	tacessi	taci
lui, lei, Lei	taccia	tacesse	taccia
noi	tacciamo	tacẹssimo	tacciamo
voi	tacciate	taceste	tacete
loro	tạcciano	tacẹssero	tạcciano

Tempi composti

***Modo Indicativo* – Trapassato Prossimo**: avevo taciuto ...; **Trapassato Remoto**: ebbi taciuto ...; **Futuro Anteriore**: avrò taciuto ...

***Modo Condizionale* – Passato**: avrẹi taciuto ...

***Modo Congiuntivo* – Passato**: ạbbia taciuto ...; **Trapassato**: avessi taciuto ...

***Modo Infinito* – Presente**: tacere; **Passato**: avẹre taciuto / ***Modo Participio* – Presente**: tacente; **Passato**: taciuto / ***Modo Gerundio* – Presente**: tacendo; **Passato**: avendo taciuto / *Forma passiva*: ẹssere taciuto (*La verità è stata taciuta agli italiani*)

Modo	*Indicativo*					*Condizionale*
Tempo	**Presente**	**Passato Prossimo**	**Imperfetto**	**Passato Remoto**	**Futuro Semplice**	**Semplice**
io	taglio	ho tagliato	tagliavo	tagliại	taglierò	taglierẹi
tu	tagli	hai tagliato	tagliavi	tagliasti	taglierại	taglieresti
lui, lei, Lei	taglia	ha tagliato	tagliava	tagliò	taglierà	taglierebbe
noi	tagliamo	abbiamo tagliato	tagliavamo	tagliammo	taglieremo	taglieremmo
voi	tagliate	avete tagliato	tagliavate	tagliaste	taglierete	tagliereste
loro	tạgliano	hanno tagliato	tagliạvano	tagliạrono	taglieranno	taglierẹbbero

Modo	*Congiuntivo*		*Imperativo*
Tempo	**Presente**	**Imperfetto**	
io	tagli	tagliassi	- - -
tu	tagli	tagliassi	taglia
lui, lei, Lei	tagli	tagliasse	tagli
noi	tagliamo	tagliạssimo	tagliamo
voi	tagliate	tagliaste	tagliate
loro	tạglino	tagliạssero	tạglino

Tempi composti

Modo Indicativo **– Trapassato Prossimo**: avevo tagliato ...; **Trapassato Remoto**: ebbi tagliato ...; **Futuro Anteriore**: avrò tagliato ...

Modo Condizionale **– Passato**: avrẹi tagliato ...

Modo Congiuntivo **– Passato**: ạbbia tagliato ...; **Trapassato**: avessi tagliato ...

Modo Infinito **– Presente**: tagliare; **Passato**: avẹre tagliato / ***Modo Participio*** **– Presente**: tagliante; **Passato**: tagliato / ***Modo Gerundio*** **– Presente**: tagliando; **Passato**: avendo tagliato / *Forma passiva*: ẹssere tagliato

Modo	Indicativo					Condizionale
Tempo	**Presente**	**Passato Prossimo**	**Imperfetto**	**Passato Remoto**	**Futuro Semplice**	**Semplice**
io	trovo	ho trovato	trovavo	trovại	troverò	troverẹi
tu	trovi	hai trovato	trovavi	trovasti	troverại	troveresti
lui, lei, Lei	trova	ha trovato	trovava	trovò	troverà	troverebbe
noi	troviamo	abbiamo trovato	trovavamo	trovammo	troveremo	troveremmo
voi	trovate	avete trovato	trovavate	trovaste	troverete	trovereste
loro	trọvano	hanno trovato	trovạvano	trovạrono	troveranno	troverẹbbero

Modo	Congiuntivo		Imperativo
Tempo	**Presente**	**Imperfetto**	
io	trovi	trovassi	- - -
tu	trovi	trovassi	trova
lui, lei, Lei	trovi	trovasse	trovi
noi	troviamo	trovạssimo	troviamo
voi	troviate	trovaste	trovate
loro	trọvino	trovạssero	trọvino

Tempi composti

Modo Indicativo **– Trapassato Prossimo**: avevo trovato ...; **Trapassato Remoto**: ebbi trovato ...; **Futuro Anteriore**: avrò trovato ...

Modo Condizionale **– Passato**: avrẹi trovato ...

Modo Congiuntivo **– Passato**: ạbbia trovato ...; **Trapassato**: avessi trovato ...

Modo Infinito **– Presente**: trovare; **Passato**: avẹre trovato / ***Modo Participio*** **– Presente**: trovante; **Passato**: trovato / ***Modo Gerundio*** **– Presente**: trovando; **Passato**: avendo trovato / *Forma passiva*: ẹssere trovato

uscịre

(*riuscịre*)

Modo	*Indicativo*					*Condizionale*
Tempo	**Presente**	**Passato Prossimo**	**Imperfetto**	**Passato Remoto**	**Futuro Semplice**	**Semplice**
io	esco	sono uscito	uscivo	uscịi	uscirò	uscirẹi
tu	esci	sei uscito	uscivi	uscisti	uscirại	usciresti
lui, lei, Lei	esce	è uscito	usciva	uscì	uscirà	uscirebbe
noi	usciamo	siamo usciti	uscivamo	uscimmo	usciremo	usciremmo
voi	uscite	siete usciti	uscivate	usciste	uscirete	uscireste
loro	ẹscono	sono usciti	uscịvano	uscịrono	usciranno	uscirẹbbero

Modo	*Congiuntivo*		*Imperativo*
Tempo	**Presente**	**Imperfetto**	
io	esca	uscissi	- - -
tu	esca	uscissi	esci
lui, lei, Lei	esca	uscisse	esca
noi	usciamo	uscịssimo	usciamo
voi	usciate	usciste	uscite
loro	ẹscano	uscịssero	ẹscano

Tempi composti

Modo Indicativo – **Trapassato Prossimo**: ero uscito ...; **Trapassato Remoto**: fui uscito ...; **Futuro Anteriore**: sarò uscito ...

Modo Condizionale – **Passato**: sarẹi uscito ...

Modo Congiuntivo – **Passato**: sia uscito ...; **Trapassato**: fossi uscito ...

Modo Infinito – **Presente**: uscire; **Passato**: ẹssere uscito / ***Modo Participio*** – **Presente**: uscente; **Passato**: uscito / ***Modo Gerundio*** – **Presente**: uscendo; **Passato**: essendo uscito / *Forma passiva*: ---

Modo	Indicativo					Condizionale
Tempo	Presente	Passato Prossimo	Imperfetto	Passato Remoto	Futuro Semplice	Semplice
io	vạluto	ho valutato	valutavo	valutại	valuterò	valuterẹi
tu	vạluti	hai valutato	valutavi	valutasti	valuterại	valuteresti
lui, lei, Lei	vạluta	ha valutato	valutava	valutò	valuterà	valuterebbe
noi	valutiamo	abbiamo valutato	valutavamo	valutammo	valuteremo	valuteremmo
voi	valutate	avete valutato	valutavate	valutaste	valuterete	valutereste
loro	vạlutano	hanno valutato	valutạvano	valutạrono	valuteranno	valuterẹbbero

Modo	Congiuntivo		Imperativo
Tempo	Presente	Imperfetto	
io	vạluti	valutassi	- - -
tu	vạluti	valutassi	vạluta
lui, lei, Lei	vạluti	valutasse	vạluti
noi	valutiamo	valutạssimo	valutiamo
voi	valutiate	valutaste	valutate
loro	vạlutino	valutạssero	vạlutino

Tempi composti

Modo Indicativo – **Trapassato Prossimo**: avevo valutato ...; **Trapassato Remoto**: ebbi valutato ...; **Futuro Anteriore**: avrò valutato ...

Modo Condizionale – **Passato**: avrẹi valutato ...

Modo Congiuntivo – **Passato**: ạbbia valutato ...; **Trapassato**: avessi valutato ...

Modo Infinito – **Presente**: valutare; **Passato**: avẹre valutato / ***Modo Participio*** – **Presente**: valutante; **Passato**: valutato / ***Modo Gerundio*** – **Presente**: valutando; **Passato**: avendo valutato / *Forma passiva*: ẹssere valutato

vedẹre
(*intravedẹre, rivedẹre*)

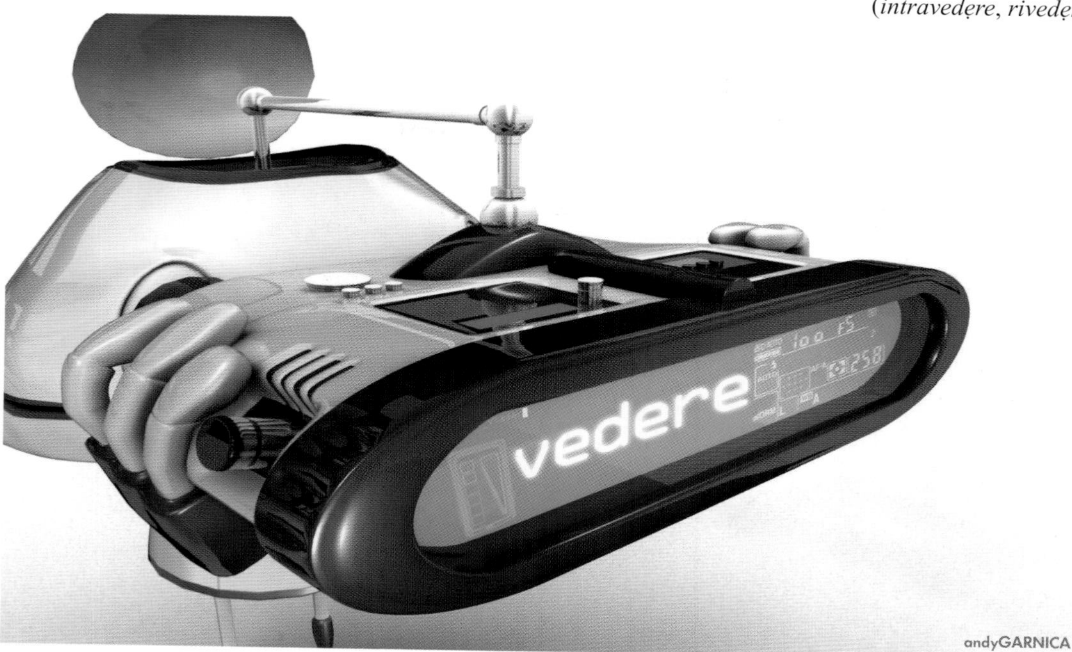

Modo	*Indicativo*					*Condizionale*
Tempo	**Presente**	**Passato Prossimo**	**Imperfetto**	**Passato Remoto**	**Futuro Semplice**	**Semplice**
io	vedo	ho visto	vedevo	vidi	vedrò	vedrẹi
tu	vedi	hai visto	vedevi	vedesti	vedrại	vedresti
lui, lei, Lei	vede	ha visto	vedeva	vide	vedrà	vedrebbe
noi	vediamo	abbiamo visto	vedevamo	vedemmo	vedremo	vedremmo
voi	vedete	avete visto	vedevate	vedeste	vedrete	vedreste
loro	vẹdono	hanno visto	vedẹvano	vịdero	vedranno	vedrẹbbero

Modo	*Congiuntivo*		*Imperativo*
Tempo	**Presente**	**Imperfetto**	
io	veda	vedessi	- - -
tu	veda	vedessi	vedi
lui, lei, Lei	veda	vedesse	veda
noi	vediamo	vedẹssimo	vediamo
voi	vediate	vedeste	vedete
loro	vẹdano	vedẹssero	vẹdano

Tempi composti

Modo Indicativo – **Trapassato Prossimo**: avevo visto ...; **Trapassato Remoto**: ebbi visto ...; **Futuro Anteriore**: avrò visto ...

Modo Condizionale – **Passato**: avrẹi visto ...

Modo Congiuntivo – **Passato**: ạbbia visto ...; **Trapassato**: avessi visto ...

Modo Infinito – **Presente**: vedere; **Passato**: avẹre visto / ***Modo Participio*** – **Presente**: vedente; **Passato**: visto (veduto) / ***Modo Gerundio*** – **Presente**: vedendo; **Passato**: avendo visto / *Forma passiva*: ẹssere visto

venịre

(*avvenịre, divenịre, intervenịre, prevenịre, provenịre*)

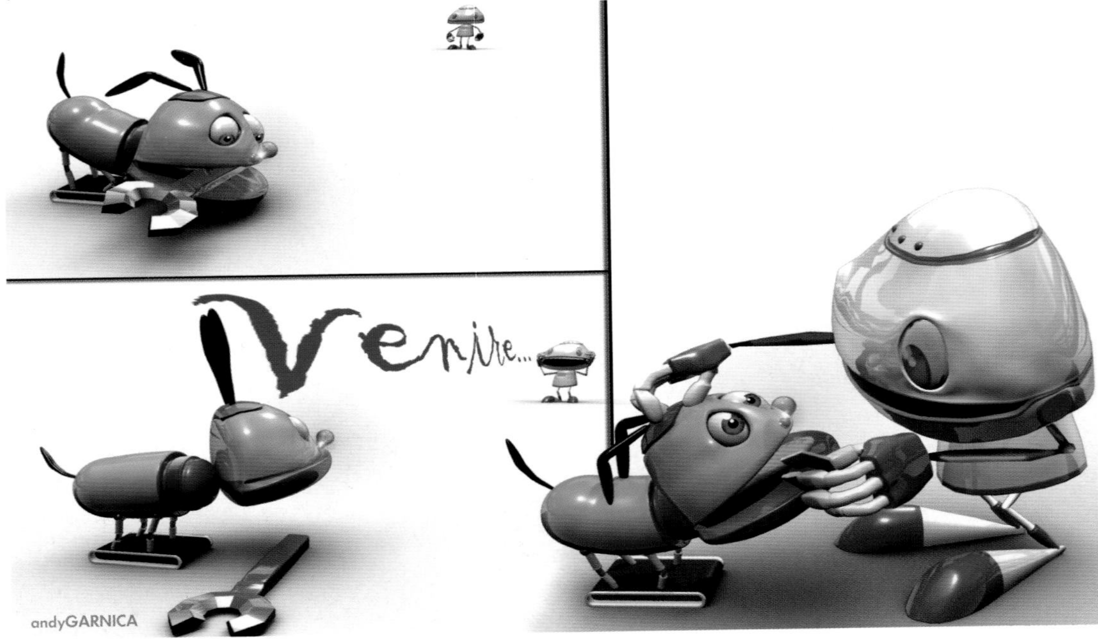

Modo	*Indicativo*					*Condizionale*
Tempo	**Presente**	**Passato Prossimo**	**Imperfetto**	**Passato Remoto**	**Futuro Semplice**	**Semplice**
io	vengo	sono venuto	venivo	venni	verrò	verrẹi
tu	vieni	sei venuto	venivi	venisti	verrại	verresti
lui, lei, Lei	viene	è venuto	veniva	venne	verrà	verrebbe
noi	veniamo	siamo venuti	venivamo	venimmo	verremo	verremmo
voi	venite	siete venuti	venivate	veniste	verrete	verreste
loro	vẹngono	sono venuti	venịvano	vẹnnero	verranno	verrẹbbero

Modo	*Congiuntivo*		*Imperativo*
Tempo	**Presente**	**Imperfetto**	
io	venga	venissi	- - -
tu	venga	venissi	vieni
lui, lei, Lei	venga	venisse	venga
noi	veniamo	venịssimo	veniamo
voi	veniate	veniste	venite
loro	vẹngano	venịssero	vẹngano

Tempi composti

***Modo Indicativo* – Trapassato Prossimo**: ero venuto ...; **Trapassato Remoto**: fui venuto ...; **Futuro Anteriore**: sarò venuto ...

***Modo Condizionale* – Passato**: sarẹi venuto ...

***Modo Congiuntivo* – Passato**: sia venuto ...; **Trapassato**: fossi venuto ...

***Modo Infinito* – Presente**: venire; **Passato**: ẹssere venuto / ***Modo Participio* – Presente**: veniente (venente); **Passato**: venuto / ***Modo Gerundio* – Presente**: venendo; **Passato**: essendo venuto / *Forma passiva*: ---

Modo	Indicativo					Condizionale
Tempo	**Presente**	**Passato Prossimo**	**Imperfetto**	**Passato Remoto**	**Futuro Semplice**	**Semplice**
io	vesto	ho vestito	vestivo	vestịi	vestirò	vestirẹi
tu	vesti	hai vestito	vestivi	vestisti	vestirại	vestiresti
lui, lei, Lei	veste	ha vestito	vestiva	vestì	vestirà	vestirebbe
noi	vestiamo	abbiamo vestito	vestivamo	vestimmo	vestiremo	vestiremmo
voi	vestite	avete vestito	vestivate	vestiste	vestirete	vestireste
loro	vẹstono	hanno vestito	vestịvano	vestịrono	vestiranno	vestirẹbbero

Modo	Congiuntivo		Imperativo
Tempo	**Presente**	**Imperfetto**	
io	vesta	vestissi	- - -
tu	vesta	vestissi	vesti
lui, lei, Lei	vesta	vestisse	vesta
noi	vestiamo	vestịssimo	vestiamo
voi	vestiate	vestiste	vestite
loro	vẹstano	vestịssero	vẹstano

Tempi composti

Modo Indicativo – **Trapassato Prossimo**: avevo vestito ...; **Trapassato Remoto**: ebbi vestito ...; **Futuro Anteriore**: avrò vestito ...

Modo Condizionale – **Passato**: avrẹi vestito ...

Modo Congiuntivo – **Passato**: ạbbia vestito ...; **Trapassato**: avessi vestito ...

Modo Infinito – **Presente**: vestire; **Passato**: avẹre vestito / ***Modo Participio*** – **Presente**: vestente; **Passato**: vestito / ***Modo Gerundio*** – **Presente**: vestendo; **Passato**: avendo vestito / *Forma passiva*: ẹssere vestito

Modo	Indicativo					Condizionale
Tempo	Presente	Passato Prossimo	Imperfetto	Passato Remoto	Futuro Semplice	Semplice
io	viaggio	ho viaggiato	viaggiavo	viaggiai	viaggerò	viaggerei
tu	viaggi	hai viaggiato	viaggiavi	viaggiasti	viaggerai	viaggeresti
lui, lei, Lei	viaggia	ha viaggiato	viaggiava	viaggiò	viaggerà	viaggerebbe
noi	viaggiamo	abbiamo viaggiato	viaggiavamo	viaggiammo	viaggeremo	viaggeremmo
voi	viaggiate	avete viaggiato	viaggiavate	viaggiaste	viaggerete	viaggereste
loro	viaggiano	hanno viaggiato	viaggiavano	viaggiarono	viaggeranno	viaggerebbero

Modo	Congiuntivo		Imperativo
Tempo	Presente	Imperfetto	
io	viaggi	viaggiassi	---
tu	viaggi	viaggiassi	viaggia
lui, lei, Lei	viaggi	viaggiasse	viaggi
noi	viaggiamo	viaggiassimo	viaggiamo
voi	viaggiate	viaggiaste	viaggiate
loro	viaggino	viaggiassero	viaggino

Tempi composti

Modo Indicativo – **Trapassato Prossimo**: avevo viaggiato ...; **Trapassato Remoto**: ebbi viaggiato ...; **Futuro Anteriore**: avrò viaggiato ...

Modo Condizionale – **Passato**: avrei viaggiato ...

Modo Congiuntivo – **Passato**: abbia viaggiato ...; **Trapassato**: avessi viaggiato ...

Modo Infinito – **Presente**: viaggiare; **Passato**: avere viaggiato / ***Modo Participio*** – **Presente**: viaggiante; **Passato**: viaggiato / ***Modo Gerundio*** – **Presente**: viaggiando; **Passato**: avendo viaggiato / *Forma passiva*: ---

vịncere
(*convịncere*)

Modo	*Indicativo*					*Condizionale*
Tempo	**Presente**	**Passato Prossimo**	**Imperfetto**	**Passato Remoto**	**Futuro Semplice**	**Semplice**
io	vinco	ho vinto	vincevo	vinsi	vincerò	vincerẹi
tu	vinci	hai vinto	vincevi	vincesti	vincerại	vinceresti
lui, lei, Lei	vince	ha vinto	vinceva	vinse	vincerà	vincerebbe
noi	vinciamo	abbiamo vinto	vincevamo	vincemmo	vinceremo	vinceremmo
voi	vincete	avete vinto	vincevate	vinceste	vincerete	vincereste
loro	vịncono	hanno vinto	vincẹvano	vịnsero	vinceranno	vincerẹbbero

Modo	*Congiuntivo*		*Imperativo*
Tempo	**Presente**	**Imperfetto**	
io	vinca	vincessi	- - -
tu	vinca	vincessi	vinci
lui, lei, Lei	vinca	vincesse	vinca
noi	vinciamo	vincẹssimo	vinciamo
voi	vinciate	vinceste	vincete
loro	vịncano	vincẹssero	vịncano

Tempi composti

Modo Indicativo – **Trapassato Prossimo**: avevo vinto ...; **Trapassato Remoto**: ebbi vinto ...; **Futuro Anteriore**: avrò vinto ...

Modo Condizionale – **Passato**: avrẹi vinto ...

Modo Congiuntivo – **Passato**: ạbbia vinto ...; **Trapassato**: avessi vinto ...

Modo Infinito – **Presente**: vịncere; **Passato**: avẹre vinto / ***Modo Participio*** – **Presente**: vincente; **Passato**: vinto / ***Modo Gerundio*** – **Presente**: vincendo; **Passato**: avendo vinto / *Forma passiva*: ẹssere vinto

Modo	Indicativo					Condizionale
Tempo	Presente	Passato Prossimo	Imperfetto	Passato Remoto	Futuro Semplice	Semplice
io	voglio	ho voluto	volevo	volli	vorrò	vorrẹi
tu	vuoi	hai voluto	volevi	volesti	vorrại	vorresti
lui, lei, Lei	vuole	ha voluto	voleva	volle	vorrà	vorrebbe
noi	vogliamo	abbiamo voluto	volevamo	volemmo	vorremo	vorremmo
voi	volete	avete voluto	volevate	voleste	vorrete	vorreste
loro	vọgliono	hanno voluto	volẹvano	vọllero	vorranno	vorrẹbbero

Modo	Congiuntivo		Imperativo
Tempo	Presente	Imperfetto	
io	voglia	volessi	- - -
tu	voglia	volessi	vogli
lui, lei, Lei	voglia	volesse	voglia
noi	vogliamo	volẹssimo	vogliamo
voi	vogliate	voleste	vogliate
loro	vọgliano	volẹssero	vọgliano

Tempi composti

***Modo Indicativo* – Trapassato Prossimo**: avevo voluto ...; **Trapassato Remoto**: ebbi voluto ...; **Futuro Anteriore**: avrò voluto ...

***Modo Condizionale* – Passato**: avrẹi voluto ...

***Modo Congiuntivo* – Passato**: ạbbia voluto ...; **Trapassato**: avessi voluto ...

***Modo Infinito* – Presente**: volere; **Passato**: avẹre voluto / ***Modo Participio* – Presente**: volente; **Passato**: voluto / ***Modo Gerundio* – Presente**: volendo; **Passato**: avendo voluto / **Forma passiva**: ẹssere voluto

accọrgersi (ausiliare: *ẹssere*)
Indicativo Passato Remoto: io mi accorsi, lui si accorse, loro si accọrsero
Participio Passato: accorto

concẹdere (ausiliare: *avẹre*)
Indicativo Passato Remoto: io concessi, lui concesse, loro concẹssero
Participio Passato: concesso

conọscere (ausiliare: *avẹre*)
Indicativo Passato Remoto: io conobbi, lui conobbe, loro conọbbero
Participio Passato: conosciuto

corrẹggere (ausiliare: *avẹre*)
Indicativo Passato Remoto: io corressi, lui corresse, loro corrẹssero
Participio Passato: corretto

delụdere (ausiliare: *avẹre*)
Indicativo Passato Remoto: io delusi, lui deluse, loro delụsero
Participio Passato: deluso
Come *delụdere*: *allụdere*, *conclụdere*, *esclụdere*, *illụdere*, *preclụdere*

dire (ausiliare: *avẹre*)
Indicativo Presente: dico, dici, dice, diciamo, dite, dịcono
Indicativo Imperfetto: dicevo ...
Indicativo Passato Remoto: dissi, dicesti, disse, dicemmo, diceste, dịssero
Congiuntivo Presente: dica, dica, dica, diciamo, diciate, dịcano
Congiuntivo Imperfetto: dicessi ...
Imperativo: di', dica, diciamo, dite, dịcano
Participio Presente: dicente
Participio Passato: detto
Gerundio Presente: dicendo
Come *dire*: *benedịre*, *contraddịre* (fa eccezione la II persona singolare dell'Imperativo: *benedici*, *contraddici*), *disdịre*, *predịre*

discụtere (ausiliare: *avẹre*)
Indicativo Passato Remoto: io discussi, lui discusse, loro discụssero
Participio Passato: discusso
Come *discụtere*: *incụtere*

divịdere (ausiliare: *avẹre*)
Indicativo Passato Remoto: io divisi, lui divise, loro divịsero
Participio Passato: diviso
Come *divịdere*: *condivịdere*, *uccịdere*

dovẹre (*in senso assoluto* ausiliare: *avẹre*)
Indicativo Presente: devo (debbo), devi, deve, dobbiamo, dovete, dẹvono (dẹbbono)
Indicativo Futuro Semplice: dovrò ...
Condizionale Semplice: dovrẹi ...
Congiuntivo Presente: debba, debba, debba (deva), dobbiamo, dobbiate, dẹbbano (dẹvano)
Non esiste l'*Imperativo*

esprịmere (ausiliare: *avẹre*)
Indicativo Passato Remoto: io espressi, lui espresse, loro esprẹssero
Participio Passato: espresso
Come *esprịmere*: *comprịmere*, *opprịmere*, *reprịmere*, *sopprịmere*

giụngere (ausiliare: *ẹssere*)
Indicativo Passato Remoto: io giunsi, lui giunse, loro giụnsero
Participio Passato: giunto
Come *giụngere*: *aggiụngere*, *raggiụngere*

insịstere (ausiliare: *avẹre*)
Participio Passato: insistito
Come *insịstere*: *assịstere*, *consịstere*, *esịstere*

morịre (ausiliare: *ẹssere*)
Indicativo Presente: muoio, muori, muore, moriamo, morite, muọiono
Indicativo Futuro Semplice: morirò (morrò) ...
Condizionale Semplice: morirẹi (morrẹi) ...
Congiuntivo Presente: muoia, muoia, muoia, moriamo, moriate, muọiano
Imperativo: muori, muoia, moriamo, morite, muọiano
Participio Passato: morto

muọvere (ausiliare: *avẹre*)
Indicativo Imperfetto: muovevo (movevo) ...
Indicativo Passato Remoto: io mossi, lui mosse, loro mọssero
Participio Passato: mosso
Come *muọvere*: *commuọvere*, *promuọvere*

nạscere (ausiliare: *ẹssere*)
Indicativo Passato Remoto: io nacqui, lui nacque, loro nạcquero
Participio Passato: nato

nascọndere (ausiliare: *avẹre*)
Indicativo Passato Remoto: io nascosi, lui nascose, loro nascọsero
Participio Passato: nascosto

parẹre (ausiliare: *ẹssere*)
Indicativo Presente: io paio, noi paiamo, loro

pạiono
Indicativo Passato Remoto: io parvi, lui parve, loro pạrvero
Indicativo Futuro Semplice: parrò ...
Condizionale Semplice: parrẹi ...
Congiuntivo Presente: paia, paia, paia, paiamo, paiate, pạiano
Participio Presente: parvente
Participio Passato: parso
Non esiste l'*Imperativo*

piạngere (ausiliare: *avẹre*)
Indicativo Passato Remoto: io piansi, lui pianse, loro piạnsero
Participio Passato: pianto
Come *piạngere*: *infrạngere*, *rimpiạngere*

porre (ausiliare: *avẹre*)
Indicativo Presente: pongo, poni, pone, poniamo, ponete, pọngono
Indicativo Passato Remoto: posi, ponesti, pose, ponemmo, poneste, pọsero
Indicativo Futuro Semplice: porrò ...
Condizionale Semplice: porrẹi ...
Congiuntivo Presente: ponga, ponga, ponga, poniamo, poniate, pọngano
Imperativo: poni, ponga, poniamo, ponete, pọngano
Participio Presente: ponente
Participio Passato: posto
Gerundio Presente: ponendo
Come *porre*: *compọrre*, *espọrre*, *impọrre*

rịdere (ausiliare: *avẹre*)
Indicativo Passato Remoto: io risi, lui rise, loro rịsero
Participio Passato: riso
Come *rịdere*: *derịdere*, *sorrịdere*

rimanẹre (ausiliare: *ẹssere*)
Indicativo Presente: io rimango, loro rimạngono
Indicativo Passato Remoto: io rimasi, lui rimase, loro rimạsero
Indicativo Futuro Semplice: rimarrò ...
Condizionale Semplice: rimarrẹi ...
Congiuntivo Presente: rimanga, rimanga, rimanga, rimaniamo, rimaniate, loro rimạngano
Imperativo: lui rimanga, loro rimạngano
Participio Passato: rimasto

risọlvere (ausiliare: *avẹre*)
Indicativo Passato Remoto: io risolsi (risolvẹi/risolvetti), lui risolse (risolvé/risolvette), loro risọlsero (risolvẹrono/risolvẹttero)
Participio Passato: risolto
Come *risọlvere*: *assọlvere*

rispọndere (ausiliare: *avẹre*)
Indicativo Passato Remoto: io risposi, lui rispose, loro rispọsero
Participio Passato: risposto
Come *rispọndere*: *corrispọndere*

rọmpere (ausiliare: *avẹre*)
Indicativo Passato Remoto: io ruppi, lui ruppe, loro rụppero
Participio Passato: rotto
Come *rọmpere*: *corrọmpere*, *interrọmpere*

salịre (ausiliare: *ẹssere/avẹre*)
Indicativo Presente: io salgo, loro sạlgono
Congiuntivo Presente: salga, salga, salga, saliamo, saliate, sạlgano
Imperativo: lui salga, loro sạlgono
Participio Presente: salente (saliente)
Come *salịre*: *assalịre*

scẹgliere (ausiliare: *avẹre*)
Indicativo Presente: io scelgo, loro scẹlgono
Indicativo Passato Remoto: io scelsi, lui scelse, loro scẹlsero
Congiuntivo Presente: scelga, scelga, scelga, scegliamo, scegliate, scẹlgano
Imperativo: lui scelga, loro scẹlgano
Participio Passato: scelto

spẹgnere (ausiliare: *avẹre*)
Indicativo Presente: io spengo, loro spẹngono
Indicativo Passato Remoto: io spensi, lui spense, loro spẹnsero
Congiuntivo Presente: spenga, spenga, spenga, spegniamo, spegniate, spẹngano
Imperativo: lui spenga, loro spẹngano
Participio Passato: spento

spẹndere (ausiliare: *avẹre*)
Indicativo Passato Remoto: io spesi, lui spese, loro spẹsero
Participio Passato: speso

spịngere (ausiliare: *avẹre*)
Indicativo Passato Remoto: io spinsi, lui spinse, loro spịnsero
Participio Passato: spinto
Come *spịngere*: *respịngere*

succẹdere (ausiliare: *ẹssere*)
Indicativo Passato Remoto: io successi, lui successe, loro succẹssero

Participio Passato: successo
tenẹre (ausiliare: *avẹre*)
Indicativo Presente: tengo, tieni, tiene, teniamo, tenete, tẹngono
Indicativo Passato Remoto: io tenni, lui tenne, loro tẹnnero
Indicativo Futuro Semplice: terrò ...
Condizionale Semplice: terrẹi ...
Congiuntivo Presente: tenga, tenga, tenga, teniamo, teniate, tẹngano
Imperativo: tieni, tenga, teniamo, tenete, tẹngano
Come *tenẹre*: *appartenẹre*, *contenẹre*, *mantenẹre*, *ritenẹre*, *sostenẹre*, *trattenẹre*
tọgliere (ausiliare: *avẹre*)
Indicativo Presente: io tolgo, loro tọlgono
Indicativo Passato Remoto: io tolsi, lui tolse, loro tọlsero
Congiuntivo Presente: tolga, tolga, tolga, togliamo, togliate, tọlgano
Imperativo: lui tolga, loro tọlgano
Participio Passato: tolto
Come *tọgliere*: *accọgliere*, *cọgliere*, *sciọgliere*
tradụrre (ausiliare: *avẹre*)
Indicativo Presente: traduco, traduci, traduce, traduciamo, traducete, tradụcono
Indicativo Imperfetto: traducevo ...
Indicativo Passato Remoto: tradussi, traducesti, tradusse, traducemmo, traduceste, tradụssero
Indicativo Futuro Semplice: tradurrò ...
Condizionale Semplice: tradurrẹi ...
Congiuntivo Presente: traduca, traduca, traduca, traduciamo, traduciate, tradụcano
Congiuntivo Imperfetto: traducessi ...
Imperativo: traduci, traduca, traduciamo, traducete, tradụcano
Participio Presente: traducente
Participio Passato: tradotto
Gerundio Presente: traducendo
Come *tradụrre*: *condụrre*, *dedụrre*, *indụrre*, *introdụrre*, *prodụrre*, *ridụrre*, *sedụrre*
trarre (ausiliare: *avẹre*)
Indicativo Presente: traggo, trai, trae, traiamo, traete, trạggono
Indicativo Imperfetto: traevo ...
Indicativo Passato Remoto: trassi, traesti, trasse, traemmo, traeste, trạssero
Indicativo Futuro Semplice: trarrò ...
Condizionale Semplice: trarrẹi ...
Congiuntivo Presente: tragga, tragga, tragga, traiamo, traiate, trạggano
Congiuntivo Imperfetto: traessi ...
Imperativo: trai, tragga, traiamo, traete, trạggano
Participio Presente: traente
Gerundio Presente: traendo
Come *trarre*: *attrạrre*, *contrạrre*, *distrạrre*, *estrạrre*, *sottrạrre*
vịvere (ausiliare: *ẹssere/avẹre*)
Indicativo Passato Remoto: io vissi, lui visse, loro vịssero
Indicativo Futuro Semplice: vivrò ...
Condizionale Semplice: vivrẹi ...
Participio Passato: vissuto
Come *vịvere*: *convịvere*, *sopravvịvere*

Reggenze verbali:
Quale preposizione?

Abbreviazioni: *inf.* = infinito *sost.* = sostantivo

abituạrsi a + *sost.* / *inf.*
accettạre di + *inf.*
accọrgersi di + *sost.* / *inf.*
accontentạrsi di + *sost.* / *inf.*
adattạrsi a + *sost.* / *inf.*
affrettạrsi a + *inf.*
aiutạre a + *inf.*
ammẹttere di + *inf.*
andạre a + *inf.*
appartenẹre a + *sost.*
approfittạre di + *sost.*
arrivạre a + *inf.*

Reggenze verbali:
Quale preposizione?

aspettạre a + *inf.*
aspettạrsi di + *inf.*
augurạrsi di + *inf.*
ạvere da + *inf.*
ạvere bisogno di + *sost.* / *inf.*
ạvere fretta di + *inf.*
ạvere intenzione di + *inf.*
ạvere l'idea di + *sost.* / *inf.*
ạvere l'impressione di + *inf.*
ạvere paura di + *sost.* / *inf.*
ạvere voglia di + *sost.* / *inf.*
capitạre di + *inf.*
cercạre di + *inf.*
chiẹdere a + *sost.*
chiẹdere di + *sost.* / *inf.*
cominciạre a + *inf.*
condannạre a + *sost.* / *inf.*
confermạre di + *inf.*
confessạre di + *inf.*
consigliạre a + *sost.*
consigliạre di + *inf.*
contạre di + *inf.*
contạre su + *sost.*
continuạre a + *inf.*
convịncere a + *inf.*
convịncere di + *sost.*
costrịngere a + *inf.*
crẹdere a, in + *sost.*
  Non credo a nessuno.
  Tu credi in Dio?
crẹdere di + *inf.*
dare da + *inf.*
decịdere di + *inf.*
decịdersi a + *inf.*
dedicạre a + *sost.*
dedicạrsi a + *sost.* / *inf.*
dimenticạre di + *inf.*
dimenticạrsi di + *sost.* / *inf.*
dimostrạre di + *inf.*
dire di + *inf.*
dispiacẹrsi di + *sost.* / *inf.*
divertịrsi a + *inf.*
dubitạre di + *sost.* / *inf.*
esclụdere di + *inf.*
esitạre a + *inf.*
evitạre di + *inf.*
fare da + *inf.*
fare bene/male a + *sost.* / *inf.*
fare in tempo a + *inf.*
fermạrsi a + *inf.*
fidạrsi di + *sost.*
fidạrsi a + *inf.*
fịngere di + *inf.*
finịre di + *inf.*
giurạre a + *sost.*
giurạre di + *inf.*
godẹre di + *sost.*
illụdersi di + *inf.*
imparạre a + *inf.*
impedịre a + *sost.*
impedịre di + *inf.*
impegnạrsi in + *sost.*
impegnạrsi a + *inf.*
infischiạrsene di + *sost.* / *inf.*
innamorạrsi di + *sost.*
insegnạre a + *sost.* / *inf.*
insịstere a + *inf.*
interessạrsi di + *sost.* / *inf.*
invitạre a + *inf.*
lamentạrsi di + *sost.*
laureạrsi in + *sost.*
mandạre a + *inf.*
meritạrsi di + *inf.*
mẹttersi a + *inf.*
minacciạre di + *inf.*
negạre di + *inf.*
occupạrsi di + *sost.* / *inf.*
offrịre da + *inf.*
passạre a + *inf.*
pensạre a, di + *sost.*
  Penso continuamente a lui.
  Cosa pensi di Mario?
pensạre di + *inf.*
pentịrsi di + *sost.* / *inf.*
portạre a, da + *inf.*
  Ti porto a vedere un film.
  Porto da bere agli invitati.
preoccupạrsi di, per + *sost.*
preoccupạrsi di + *inf.*
preparạre da + *inf.*
preparạrsi a + *sost.* / *inf.*
promẹttere di + *inf.*
propọrre di + *inf.*
provạre a + *inf.*
rẹndersi conto di + *sost.* / *inf.*
restạre a + *inf.*
riconọscere di + *inf.*
ricordạre di + *inf.*
ricordạrsi di + *sost.* / *inf.*
rifiutạrsi di + *inf.*
ringraziạre di + *inf.*
rinunciạre a + *sost.* / *inf.*
rischiạre di + *inf.*
ritenẹre di + *inf.*
ritornạre a + *inf.*
riuscịre a + *inf.*
sembrạre di + *inf.*
sbagliạre a + *inf.*
sbrigạrsi a + *inf.*
scoppiạre a + *inf.*
scoprịre di + *inf.*
sentịrsela di + *inf.*
smẹttere di + *inf.*
sognạre di + *inf.*
sorprẹndere a + *inf.*
  L'hanno sorpreso a rubare.
sorprẹndersi di + *sost.* / *inf.*
  Non mi sorprendo del suo comportamento.
  Si è sorpreso di rivederlo così presto.
sperạre di + *inf.*
spịngere a + *sost.* / *inf.*
stancạrsi di + *sost.* / *inf.*
stare a + *inf.*
supporre di + *inf.*
tenẹrci a + *sost.* / *inf.*
tentạre di + *inf.*
toccạre a + *sost.*
trattạrsi di + *sost.* / *inf.*
venịre a + *inf.*

Glossario multilingue

Italiano	Inglese	Spagnolo	Portoghese	Francese	Cinese	pag.
accẹndere	switch on	encender	acender	allumer	点	12
amạre	love	amar	amar	aimer	爱	13
andạre	go	ir	ir	aller	去	14
aprịre	open	abrir	abrir	ouvrir	开	15
arrestạre	arrest	arrestar	parar	arrêter	逮捕	16
arrivạre	arrive	llegar	chegar	arriver	到	17
aspettạre	wait	esperar	esperar	attendre	等	18
avẹre	have	tener	ter	avoir	有	19
baciạre	kiss	besar	beijar	embrasser	吻	20
ballạre	dance	bailar	dançar	danser	跳舞	21
bere	drink	beber	beber	boire	喝	22
cadẹre	fall	caer	cair	tomber	落下	23
calciạre	kick	patear	dar pontapé	tirer	踢	24
cambiạre	change	cambiar	mudar	changer	改变	25
camminạre	walk	andar	caminhar	marcher	走	26
cantạre	sing	cantar	cantar	chanter	唱歌	27
cercạre	search	buscar	procurar	chercher	找	28
chiamạre	call	llamar	chamar	appeler	叫	29
chiẹdere	ask	pedir	perguntar	demander	问	30
chiụdere	close	cerrar	fechar	fermer	关	31
comprạre	buy	comprar	comprar	acheter	买	32
contạre	count	contar	contar	compter	数	33
controllạre	check	vigilar	controlar	contrôler	监视	34
cọrrere	run	correr	correr	courir	跑步	35
costruịre	build	construir	construir	construire	建筑	36
creạre	create	crear	criar	créer	创造	37
crẹscere	grow	crecer	crescer	croître	生长	38
cucinạre	cook	cocinar	cozinhar	cuisiner	做饭	39
dare	give	dar	dar	donner	给	40
decịdere	decide	decidir	decidir	décider	决定	41
dimenticạre	forget	olvidar	esquecer	oublier	忘	42
dipịngere	paint	pintar	pintar	peindre	画	43
dirịgere	direct	dirigir	dirigir	diriger	管理	44
dormịre	sleep	dormir	dormir	dormir	睡着	45
entrạre	enter	entrar	entrar	entrer	进去	46
ẹssere	be	ser	ser	être	是	47
fare	make	hacer	fazer	faire	做	48

Italiano	Inglese	Spagnolo	Portoghese	Francese	Cinese	pag.
fermạrsi	stop	pararse	parar-se	s'arrêter	停	49
finịre	finish	acabar	acabar	finir	结束	50
giocạre	play	jugar	jogar	jouer	玩	51
girạre	turn	girar	girar	tourner	转	52
gridạre	scream	gritar	gritar	crier	喊	53
guardạre	watch	mirar	olhar	regarder	看	54
guidạre	drive	conducir	conduzir	conduire	开车	55
imparạre	learn	aprender	aprender	apprendre	学	56
inciampạre	trip	tropezar	tropeçar	trébucher	绊跌	57
iniziạre	start	empezar	iniciar	commencer	开始	58
lavạrsi	wash	lavarse	lavar-se	se laver	洗澡	59
lẹggere	read	leer	ler	lire	看书	60
lucidạre	polish	pulir	polir	briller	擦亮	61
mangiạre	eat	comer	comer	manger	吃饭	62
mentịre	lie	mentir	mentir	mentir	说谎	63
mẹttere	put	poner	pôr	mettre	放	64
mostrạre	show	mostrar	mostrar	montrer	解释	65
nuotạre	swim	nadar	nadar	nager	游泳	66
organizzạre	organize	ordenar	organizar	organiser	组织	67
pagạre	pay	pagar	pagar	payer	付钱	68
parlạre	talk	hablar	falar	parler	说话	69
passeggiạre	stroll	pasear	passear	promener	散步	70
pensạre	think	pensar	pensar	penser	想	71
pẹrdere	lose	perder	perder	perdre	丢	72
pettinạre	comb	peinar	pentear	coiffer	梳	73
piacẹre	like	gustar	gostar	plaire	喜欢	74
piọvere	rain	llover	chover	pleuvoir	下雨	75
portạre	bring, carry	traer, llevar	trazer, levar	porter	带	76
potẹre	can	poder	poder	pouvoir	能	77
prẹndere	take	coger	tomar	prendre	拿	78
proibịre	forbid	prohibir	proibir	interdire	禁止	79
pulịre	clean	limpiar	limpar	nettoyer	打扫干净	80
registrạre	record	grabar	gravar	enregistrer	纪录	81
ricẹvere	receive	recibir	receber	recevoir	收到	82
ricordạre	remember	recordar	lembrar	rappeler	记得	83
riparạre	repair	reparar	reparar	réparer	修理	84
ritornạre	return	volver	regressar	retourner	回	85

Italiano	Inglese	Spagnolo	Portoghese	Francese	Cinese	pag.
saltạre	jump	saltar	saltar	sauter	跳	86
salutạre	greet	saludar	cumprimentar	saluer	挥手	87
sapẹre	know	saber	saber	savoir	知道	88
sbạttere	beat	chocar	bater	taper	碰撞	89
scẹndere	go down	bajar	descer	descendre	下	90
scrịvere	write	escribir	escrever	écrire	写	91
sedẹrsi	sit	sentarse	sentar-se	s'asseoir	坐下	92
seguịre	follow	seguir	seguir	suivre	跟随	93
sentịre	hear	oír	ouvir	entendre	听	94
separạre	separate	separar	separar	séparer	分开	95
smẹttere	quit, give up	dejar	deixar	arrêter	停止	96
sognạre	dream	soñar	sonhar	rêver	做梦	97
sposạrsi	get married	casarse	casar-se	se marier	结婚	98
stare	be	estar	estar	rester	在	99
studiạre	study	estudiar	estudar	étudier	学习	100
svegliạre	wake up	despertar	acordar	réveiller	起床	101
tacẹre	be quiet	callar	calar	se taire	住口	102
tagliạre	cut	cortar	cortar	couper	切	103
trovạre	find	encontrar	encontrar	trouver	找到	104
uscịre	go out	salir	sair	sortir	出	105
valutạre	evaluate	evaluar	avaliar	évaluer	检验	106
vedẹre	see	ver	ver	voir	看	107
venịre	come	venir	vir	venir	来	108
vestịre	dress	vestir	vestir	habiller	穿衣	109
viaggiạre	travel	viajar	viajar	voyager	旅游	110
vịncere	win	ganar	ganhar	gagner	赢	111
volẹre	want	querer	querer	vouloir	要	112

Altri verbi irregolari

Italiano	Inglese	Spagnolo	Portoghese	Francese	Cinese	pag.
accọrgersi	realize	darse cuenta	aperceber-se	s'apercevoir	注意	113
concẹdere	allow	conceder	conceder	accorder	允许	113
conọscere	know	conocer	conhecer	connaître	认识	113
corrẹggere	correct	corregir	corrigir	corriger	改正	113
delụdere	disappoint	decepcionar	desiludir	décevoir	失望	113
dire	say	decir	dizer	dire	说	113
discụtere	discuss	discutir	discutir	discuter	讨论	113

Glossario multilingue

Italiano	Inglese	Spagnolo	Portoghese	Francese	Cinese	pag.
divịdere	divide	dividir	dividir	diviser	分开	113
dovẹre	have to	deber	dever	devoir	必须	113
esprịmere	express	expresar	exprimir	exprimer	表示	113
giụngere	arrive	llegar	chegar, alcanlçar	joindre	到	113
insịstere	insist	insistir	insistir	insister	坚决	113
morịre	die	morir	morrer	mourir	死	113
muọvere	move	mover	mexer	bouger	动	113
nạscere	be born	nacer	nascer	naître	出生	113
nascọndere	hide	esconder	esconder	cacher	隐藏	113
parẹre	seem	parecer	parecer	paraître	好像	113
piạngere	cry	llorar	chorar	pleurer	哭	114
porre	place	poner	colocar	poser	放	114
rịdere	laugh	reir	rir	rire	笑	114
rimanẹre	stay	quedarse	ficar	rester	留在	114
risọlvere	resolve	resolver	resolver	résoudre	解决	114
rispọndere	respond	responder	responder	répondre	回答	114
rọmpere	break	romper	partir	rompre	破	114
salịre	go up	subir	subir	monter	上	114
scẹgliere	choose	elegir	escolher	choisir	选择	114
spẹgnere	switch off	apagar	desligar	éteindre	关	114
spẹndere	spend	gastar	gastar	dépenser	花费	114
spịngere	push	empujar	empurrar	pousser	推动	114
succẹdere	happen	suceder	suceder	succéder	发生	114
tenẹre	hold	tener	ter	tenir	拿	115
tọgliere	take off	quitar	tirar	enlever	去掉	115
tradụrre	translate	traducir	traduzir	traduire	翻译	115
trarre	gain	arrastrar	retirar	induire	拉	115
vịvere	live	vivir	viver	vivre	生活	115